DU MONDE ENTIER

PER PETTERSON

PAS FACILE
DE VOLER
DES CHEVAUX

ROMAN
TRADUIT DU NORVÉGIEN
PAR TERJE SINDING

nrf

GALLIMARD

DU MÊME AUTEUR

Du monde entier

PER PETTERSON

PAS FACILE
DE VOLER
DES CHEVAUX

roman

*Traduit du norvégien
par Terje Sinding*

GALLIMARD

Ouvrage traduit avec le concours de NORLA
(Fondation pour la promotion
de la littérature norvégienne à l'étranger)

Titre original :

UT OG STJÆLE HESTER

À Trond T.

I

1

Début novembre. Il est neuf heures. Les mésanges viennent se cogner à la fenêtre. Un peu assommées, il leur arrive de reprendre leur vol, mais parfois elles tombent et se débattent un moment dans la neige fraîche avant de retrouver l'usage de leurs ailes. Je me demande ce qu'elles peuvent bien venir chercher chez moi. Je jette un regard par la fenêtre donnant sur la forêt. Près du lac il y a une lueur rouge au-dessus des arbres. Le vent se lève. Je vois la forme du vent dans l'eau.

C'est ici que je vis maintenant, dans une petite maison près d'un lac à l'extrémité est du pays. Une rivière se jette dans le lac. C'est une petite rivière, en plein été son débit est faible, mais au printemps et en automne elle coule avec entrain, et on y attrape des truites. Il m'est arrivé d'en pêcher. L'embouchure n'est qu'à quelques centaines de mètres d'ici. De la fenêtre de la cuisine je l'entrevois quand les bouleaux ont perdu leurs feuilles. Comme à présent, en novembre. Il y a un chalet au bord de la rivière, je vois s'il y a de la lumière quand je sors sur le pas de ma porte. Un homme y habite. Je pense qu'il est plus âgé que moi. Il en a l'air. Mais c'est peut-être parce que je suis mauvais juge de ma propre apparence, ou parce que la vie a été plus dure pour lui que pour moi. Ce n'est pas exclu. Il a un chien, un border colley.

J'ai installé une mangeoire à oiseaux sur un pieu au milieu de la cour. Le matin, quand il commence à faire jour, je m'assieds avec mon café à la table de la cuisine et je les vois arriver à tire-d'aile. J'en ai compté huit espèces différentes. Dans aucun autre endroit où j'ai vécu je n'en ai vu autant, mais il n'y a que les mésanges qui viennent se cogner à la fenêtre. J'ai vécu dans bien des endroits. Maintenant c'est ici que je vis. Quand il commence à faire jour, je suis déjà réveillé depuis des heures. J'ai allumé le poêle. J'ai déambulé dans la maison, lu le journal de la veille, fait la vaisselle de la veille, il n'y avait presque rien. J'ai écouté la BBC. La radio reste allumée la plupart du temps. J'écoute les nouvelles, j'ai gardé cette habitude, mais je ne sais plus à quoi ça peut me servir. Il paraît que soixante-sept ans ce n'est pas grand-chose, pas de nos jours, et c'est bien l'impression que j'ai, je me sens en forme. Mais quand j'écoute les nouvelles, elles n'occupent plus la même place dans ma vie. Elles ne changent pas ma vision du monde, comme autrefois. Ça tient peut-être à leur contenu, à la manière dont on les présente, il y en a peut-être trop. L'avantage du BBC World Service, diffusé tôt le matin, c'est que tout y paraît différent, qu'il n'y est jamais question de la Norvège et que ça me permet de me tenir au courant de ce qui se passe entre des pays comme la Jamaïque, le Pakistan, l'Inde et la Birmanie dans le domaine du cricket, sport que je n'ai jamais vu pratiquer et que je n'irai jamais voir si ça ne tient qu'à moi. Mais j'ai quand même remarqué que l'Angleterre, la « Mère-patrie », s'y fait toujours battre à plates coutures. C'est toujours ça de pris.

Moi aussi j'ai un chien. C'est une chienne, et elle s'appelle Lyra. De quelle race elle est, ce n'est pas facile à dire.

D'ailleurs ça n'a pas d'importance. Avec une lampe de poche nous avons déjà fait notre promenade, comme d'habitude nous avons emprunté le sentier près du lac dont les bords se couvrent d'une fine pellicule de glace entre les tiges raides des roseaux jaunis et morts. Silencieuse et abondante, la neige tombait sur un fond de ciel noir et faisait éternuer Lyra de plaisir. Maintenant elle dort, couchée près du poêle. Il a cessé de neiger. Au fil de la journée, tout va fondre. Je le vois au thermomètre. La colonne rouge monte en même temps que le soleil.

Toute ma vie j'ai désiré vivre seul dans un endroit comme celui-ci. Même quand la vie était belle, et elle l'a souvent été. Ça, je peux l'affirmer. Qu'elle l'a souvent été. J'ai eu de la chance. Mais même dans ces moments-là, au milieu d'une étreinte par exemple, quand on me murmurait à l'oreille les mots que je voulais entendre, j'ai parfois ressenti un brusque désir d'être loin, dans un endroit où tout ne serait que silence. Pendant des années, je n'y ai pas pensé, mais ce désir était quand même présent. Et maintenant je vis ici, et tout ressemble presque à ce que j'avais imaginé.

Dans deux mois à peine ce sera la fin du millénaire. Il y aura une fête avec feu d'artifice au village. Je n'irai pas. Je resterai à la maison avec Lyra, je descendrai peut-être jusqu'au lac pour voir si la glace tient, j'imagine une nuit avec − 10° et clair de lune, je ferai du feu dans le poêle et je me soûlerai raisonnablement avec la bouteille que j'ai mise de côté dans le placard, je poserai sur le vieil électrophone un disque de Billie Holiday, avec sa voix au bord du chuchotement comme lorsque je l'ai entendue à Oslo dans les années cinquante, presque éteinte mais encore pleine de magie. À la fin du disque j'irai me coucher, je dormirai aussi profondément qu'il est possible de le faire sans être mort, et je me réveillerai dans un nouveau millénaire sans y accorder la moindre importance. Je m'en réjouis à l'avance.

En attendant je m'occupe à remettre en état cette maison. Il y a pas mal de choses à faire, je l'ai eue pour pas cher. À vrai dire j'étais prêt à mettre davantage pour la maison et le terrain, mais il n'y avait pas beaucoup d'acquéreurs. Maintenant je comprends pourquoi, mais je m'en fous. De toute façon, je ne vais pas me plaindre. J'essaie de faire le maximum tout seul. Je pourrais me payer un menuisier, je suis loin d'être sur la paille, mais du coup ça irait trop vite. J'ai envie de prendre le temps qu'il faut. Le temps, maintenant, je me dis que c'est important pour moi. Qu'il passe vite ou lentement n'est pas le problème ; l'essentiel c'est le temps lui-même, cet élément dans lequel je vis et que je remplis d'activités physiques qui le rythment, le rendent visible et l'empêchent de s'écouler sans que je m'en aperçoive.

Il s'est passé quelque chose cette nuit. J'étais allé me coucher dans l'alcôve à côté de la cuisine où je me suis bricolé un lit provisoire sous la fenêtre, je m'étais endormi, il était minuit passé, dehors il faisait nuit noire, et froid. Ça, je m'en suis rendu compte quand je suis sorti pisser derrière la maison. Je ne vois pas pourquoi je me gênerais. D'autant que, pour l'instant, les cabinets sont à l'extérieur. De toute façon, personne ne peut me voir. À l'ouest, la forêt est dense.

J'ai été réveillé par un son strident et aigu qui s'est répété plusieurs fois à de brefs intervalles. Ensuite il y a eu un silence, puis le bruit a repris. Je me suis redressé dans le lit, j'ai entrouvert la fenêtre et j'ai jeté un œil au-dehors. Dans l'obscurité j'ai aperçu le faisceau jaune d'une lampe de poche un peu plus bas sur le sentier longeant la rivière.

16

Celui qui tenait la lampe devait sans doute émettre le son, mais je n'arrivais ni à identifier ce son ni à comprendre par quel moyen il le produisait. Si c'était bien un « il ». Le faisceau de lumière a paru errer un moment de droite à gauche, et comme dans un éclair le visage buriné de mon voisin m'est apparu. Entre ses lèvres il avait quelque chose qui ressemblait à un cigare. Puis j'ai de nouveau entendu le son, et j'ai compris qu'il s'agissait d'un sifflet à chiens, d'un modèle que je ne connaissais pas. D'ailleurs, il s'est mis à appeler l'animal ; Poker, criait-il, Poker — c'était le nom du chien —, viens, mon garçon, criait-il. Alors je me suis recouché en fermant les yeux, mais j'ai compris que je n'allais pas me rendormir.

Pourtant je n'avais pas d'autre désir que de dormir. Je fais attention à mes heures de sommeil, il ne m'en faut pas beaucoup désormais, mais elles me sont plus indispensables qu'autrefois. Une mauvaise nuit projette son ombre sur les jours suivants et me rend irritable et patraque. Et je n'ai plus de temps à perdre. Il ne faut pas que je me disperse. Malgré cela, je me suis de nouveau redressé et j'ai glissé mes jambes hors du lit. Dans l'obscurité j'ai récupéré mes vêtements suspendus au dos de la chaise. Ils étaient si froids que j'en ai eu la respiration coupée. J'ai traversé la cuisine ; dans le couloir j'ai enfilé mon vieux caban, j'ai pris la lampe de poche posée sur l'étagère et je suis sorti sur le pas de la porte. Il faisait nuit noire. J'ai de nouveau ouvert et j'ai passé la main à l'intérieur pour allumer au-dessus de l'entrée. C'était mieux ainsi. Le reflet du mur rouge de la remise répandait une lueur chaude dans la cour.

J'ai de la chance, me suis-je dit. Je peux très bien sortir dans la nuit pour rejoindre un voisin qui cherche son chien, il me suffit d'un jour ou deux pour être de nouveau en forme. J'ai allumé ma lampe de poche, j'ai quitté la cour et je suis descendu vers l'endroit du sentier où il se tenait toujours. D'un lent mouvement circulaire, il balayait avec sa torche la lisière de la forêt, le sentier et le bord de la rivière pour finalement revenir au point de départ. Poker, criait-il, Poker! Puis il a de nouveau sifflé, et le son aux fréquences désagréablement aiguës a déchiré le silence de la nuit. Son visage, son corps étaient plongés dans l'obscurité. Je ne le connaissais pas, je ne lui avais adressé la parole que deux ou trois fois en passant devant son chalet avec Lyra, tôt le matin en général. Soudain j'ai eu envie de rentrer et de ne plus penser à cette histoire; de toute façon, que pouvais-je faire? Mais il avait dû apercevoir le faisceau de ma lampe, c'était trop tard, et cette silhouette que je devinais à peine, seule dans la nuit, avait quelque chose qui m'intriguait. Cet homme n'aurait pas dû être là tout seul. Il y avait quelque chose qui clochait.

— Hé! lui ai-je lancé d'une voix étouffée pour respecter le silence.

Il s'est retourné. Pendant un instant je n'ai rien vu, car il a braqué le cône de lumière sur mon visage. Quand il s'en est rendu compte, il a baissé la lampe. Le temps de retrouver ma vision de nuit je n'ai pas bougé, puis je me suis dirigé vers lui. Face à face, nous éclairions chacun à hauteur de hanche le paysage qui nous entourait, et rien n'avait le même aspect que dans la journée. Je me suis habitué à l'obscurité. Je ne me rappelle pas si elle me faisait peur autrefois, je pense que oui, mais aujourd'hui elle me paraît naturelle et rassurante et facile à percer surtout, malgré la quantité de choses qu'elle recèle. Tout cela n'est pas grave. Rien ne vient limiter la souplesse et la liberté du corps, ni la taille ni les distances, car rien de tout cela n'existe dans l'obscurité. Elle n'est qu'un vaste espace créé pour s'y mouvoir.

— Il a encore foutu le camp, a dit le voisin. Poker. Mon

chien. Ça lui arrive. Je sais bien qu'il va finir par revenir. Mais quand il se tire comme ça, j'arrive pas à dormir. Y'a des loups dans la forêt maintenant. Et puis, je me dis que je peux quand même pas fermer la porte à clé.

Il paraissait embarrassé. Moi aussi je l'aurais sans doute été si mon chien s'était enfui. Je ne sais pas quelle serait ma réaction si Lyra me faisait le coup ; est-ce que je partirais seul dans la nuit à sa recherche ?

— Vous savez qu'il n'y a pas de chien plus intelligent au monde que le border colley ? a-t-il dit.

— C'est ce qu'on m'a raconté.

— Il est plus malin que moi, Poker, et il le sait. J'ai peur qu'il soit en train de prendre le pouvoir, a dit le voisin avec un hochement de tête.

— Ça, ce n'est pas bien.

— Non.

Je me suis rappelé que nous ne nous étions jamais présentés, et je lui ai tendu la main en y braquant ma lampe.

— Trond Sander.

Ça l'a troublé. Il lui a fallu quelques secondes pour passer sa torche dans la main gauche avant de prendre ma main droite dans la sienne.

— Lars. Lars Haug. Avec un h.

— Enchanté.

Ça sonnait aussi faux et incongru dans la nuit noire que lorsque mon père, il y a bien des années, avait dit « toutes mes condoléances » à un enterrement au fin fond de la forêt. À peine avais-je lâché le mot que je le regrettais déjà, mais Lars Haug n'a pas paru surpris. Peut-être a-t-il trouvé l'expression tout à fait convenable, et la situation complètement banale pour deux hommes adultes se saluant sur le terrain.

Autour de nous il n'y avait aucun bruit. Pendant des jours

et des nuits nous avions eu de la pluie et du vent, et les sapins n'avaient cessé de gémir, mais la forêt était maintenant plongée dans un silence absolu, pas une ombre ne bougeait, et nous étions là, immobiles, le voisin et moi, à contempler l'obscurité. Et soudain j'ai senti une présence derrière moi. Je n'ai pas pu empêcher un frisson de me parcourir le dos. Lars Haug a dû s'apercevoir de quelque chose lui aussi, car il a éclairé un point à quelques mètres de moi. Je me suis retourné, et Poker était là. Figé et sur ses gardes. C'était un phénomène que j'avais déjà remarqué : un chien peut se sentir coupable et le manifester. Pour lui comme pour la plupart d'entre nous, ce n'était pas un sentiment agréable, d'autant que son maître s'est mis à lui parler sur un ton presque infantile qui cadrait mal avec son visage tanné et buriné. C'était un homme qui avait sans doute déjà passé des nuits d'hiver dehors, un homme qui avait dû manipuler des objets récalcitrants, des objets compliqués qui pèsent lourd et qui résistent quand le vent vient d'en face ; je m'en étais rendu compte en lui serrant la main.

— Mais où tu étais, Poker ? T'es vraiment stupide, t'as encore désobéi à papa ; t'as pas honte, vilain garçon ; faut pas faire ça.

Il s'est approché d'un pas, et le chien s'est mis à grogner sourdement en couchant les oreilles. Lars Haug s'est arrêté net. Il a baissé sa lampe de poche qui n'éclairait plus que le sol, et je distinguais à peine les taches blanches de la robe du chien, dont le noir se confondait avec la nuit ; elles me paraissaient disposées au hasard et étrangement asymétriques. Les sons gutturaux me parvenaient maintenant d'un lieu indistinct.

— J'ai déjà été obligé de tuer un chien, a dit le voisin, et je m'étais promis à l'époque que je ne recommencerais plus jamais. Mais maintenant, je ne sais pas.

Il n'en menait pas large, ça se voyait, il se demandait quoi faire et j'ai soudain eu terriblement pitié de lui. Le sentiment a jailli de je ne sais où, de souvenirs d'une autre époque, enfouis quelque part dans cette obscurité ou dans mon passé peut-être, et depuis longtemps oubliés. J'étais embarrassé, mal à l'aise. Je me raclais la gorge. J'avais des difficultés à maîtriser ma voix :

— Le chien que vous avez dû tuer, il était de quelle race ?

En réalité, ce n'était pas ça que je voulais savoir, je crois. Mais il fallait bien dire quelque chose pour calmer ces palpitations inopinées.

— Un berger allemand. Mais il n'était pas à moi. Ça s'est passé à la ferme où j'ai grandi. C'est ma mère qui l'a vu d'abord. Il était en liberté et il courait après deux chevreuils à la lisière de la forêt, deux faons déjà grands qui étaient morts de trouille. On les voyait depuis plusieurs jours de notre fenêtre quand ils broutaient dans les fourrés en bordure des champs. Ils ne se quittaient jamais ; maintenant non plus ils ne s'éloignaient pas l'un de l'autre, et le chien les coursait, les encerclait, leur mordait les jarrets. Ils commençaient à s'épuiser, ils n'avaient aucune chance de s'en tirer et ma mère n'en pouvait plus de voir ça. Alors elle a appelé les gendarmes pour leur demander quoi faire, et ils lui ont répondu qu'elle n'avait qu'à tuer le chien.

« "C'est un travail pour toi, ça, Lars, a-t-elle dit après avoir raccroché. Tu crois que tu y arriveras ?" Je n'étais pas très chaud, il faut bien l'avouer, j'évitais de toucher au fusil, mais les faons me faisaient pitié et je ne pouvais quand même pas demander à ma mère de le faire. Et on était seuls à la maison, mon grand frère s'était embarqué comme matelot et mon beau-père était parti dans la forêt couper du bois pour le patron, comme toujours à cette période de l'année. Alors j'ai pris le fusil et j'ai traversé les champs. En arrivant à la lisière de la forêt je ne voyais plus le chien. Je n'ai pas bougé et j'ai tendu l'oreille. C'était une journée d'automne, l'air était transparent, il y avait un tel silence que ça faisait presque peur. Je me suis retourné et j'ai regardé la maison là-bas de l'autre côté des champs ; je savais que ma mère était debout à la fenêtre et qu'elle me suivait des yeux. Je ne pouvais plus reculer. Je scrutais la forêt et tout d'un coup, sur le sentier, j'ai vu les deux chevreuils qui arrivaient vers moi en courant. Je me suis agenouillé, j'ai épaulé le fusil et j'ai visé. Les deux faons avaient tellement peur qu'ils ne m'ont même pas vu, ou alors ils n'avaient plus la force de se soucier d'un ennemi supplémentaire. Ils n'ont pas dévié de leur course, ils sont passés droit devant moi, à quelques centimètres de mon épaule ; je les entendais haleter et je distinguais l'éclair blanc de leurs yeux dilatés.

Lars Haug s'est tu un instant ; il a levé sa lampe pour éclairer Poker, toujours immobile derrière moi. Je ne me suis pas retourné, mais j'ai entendu le grognement sourd du chien. C'était un bruit désagréable. Devant moi, son maître se mordait la lèvre ; d'un geste incertain il s'est tripoté le front de la main gauche avant de poursuivre :

— À trente mètres derrière eux, le chien a déboulé. C'était une bête énorme. J'ai fait feu tout de suite. Je suis certain de l'avoir touché, mais il n'a ni dévié ni ralenti ; son corps a peut-être eu un léger soubresaut, je n'en sais fichtre rien. Alors j'ai tiré de nouveau ; il s'est affalé sur ses rotules mais il a pu se redresser et continuer à courir. Je ne savais plus quoi faire. J'ai tiré une troisième fois, il n'était qu'à quelques mètres, il a plongé en avant, les quatre pattes en l'air, et il a glissé jusqu'à mes pieds. Mais il n'était pas mort. Il me regardait, les membres paralysés, et soudain il m'a fait pitié, il faut bien le dire. Du coup je me suis penché en avant pour lui donner une dernière caresse sur la nuque, mais il s'est mis à grogner et il a cherché à m'attraper la main. Ça m'a fait sursauter. Je me suis mis en colère et je lui ai encore tiré dessus deux fois. Dans la tête.

Lars Haug est resté immobile, le visage perdu dans l'ombre, sa lampe de poche suspendue au bout d'une main lasse. Elle n'éclairait plus qu'un petit cercle jaune au sol. Des aiguilles de conifères. Quelques cailloux. Deux pommes de pin. Redevenu absolument silencieux, Poker ne bougeait pas. Je me suis demandé si les chiens pouvaient retenir leur souffle.

— Une sale histoire, ai-je dit.

— Je venais d'avoir dix-huit ans. C'est vieux tout ça, mais jamais je ne l'oublierai.

— Je comprends très bien que vous n'ayez pas envie d'en tuer un autre.

— On verra. Mais dans l'immédiat il va falloir que je rentre avec le chien. Il est tard. Viens, Poker !

Sa voix était soudain redevenue ferme, autoritaire même. Il s'est engagé sur le sentier. Poker le suivait docilement à quelques mètres. Arrivé près du petit pont, il s'est arrêté pour agiter sa lampe de poche.

— Merci pour la compagnie, a-t-il crié dans l'obscurité.

À mon tour j'ai agité ma lampe et je me suis retourné pour remonter jusqu'à la maison. J'ai ouvert la porte et j'ai pénétré dans le couloir éclairé. Sans raison véritable j'ai fermé à clé derrière moi, chose que je ne fais plus depuis que je me suis installé ici. Ça m'a contrarié, mais je l'ai quand même fait. Je me suis déshabillé, je me suis glissé sous la couette et j'ai contemplé le plafond en attendant que la chaleur me gagne. Je me suis senti un peu stupide. Puis j'ai fermé les yeux. À un moment donné, pendant mon sommeil, il a commencé à neiger ; bien qu'endormi, j'ai senti que le temps avait changé, qu'il s'était mis au froid, et je savais que je craignais l'hiver, que je craignais la neige quand il y en avait trop et que je m'étais mis dans une sacrée galère en m'installant ici. Alors je me suis obstiné à rêver de l'été, et à mon réveil il m'emplissait encore la tête. J'aurais pu choisir n'importe quel été, mais ce n'est pas ce que j'ai fait ; j'ai rêvé d'un été bien particulier, et j'y pense encore en ce moment, assis à ma table de cuisine en regardant le jour se lever au-dessus des arbres près du lac. Rien n'a le même aspect que cette nuit, et je ne comprends pas pourquoi j'ai fermé la porte à clé. Je suis fatigué, mais moins que je ne craignais. Je tiendrai le coup jusqu'à ce soir, je le sens. Je me mets debout avec des mouvements un peu raides, mon dos n'est plus ce qu'il était, et Lyra lève la tête et me regarde. On sort de nouveau ? Non, pas tout de suite. J'ai assez à faire avec cet été qui, soudain, commence à me tracasser. Ça ne m'était pas arrivé depuis des années.

2

On allait voler des chevaux. C'est ce qu'il a dit quand j'ai ouvert la porte du chalet d'alpage où j'habitais avec mon père cet été-là. J'avais quinze ans. C'était en 1948, aux premiers jours de juillet. Les Allemands avaient quitté le pays trois ans plus tôt, mais j'ai l'impression qu'on n'en parlait plus. Pas mon père en tout cas. Il ne parlait jamais de la guerre.

Jon venait souvent, à n'importe quelle heure du jour et de la nuit. Il voulait que je l'accompagne : pour chasser des lièvres, traverser la forêt sous la lune pâle et monter tout en haut de la colline dans la nuit silencieuse ; pour pêcher des truites à la rivière et faire les marioles sur les troncs d'arbres jaunes et luisants qui continuaient à dériver devant le chalet alors que la période de la coupe du bois était finie depuis longtemps. C'était dangereux, mais je ne disais jamais non et je ne parlais jamais à mon père de ce que nous faisions. De la fenêtre de la cuisine on voyait une partie de la rivière, mais ce n'était pas là qu'on se livrait à nos exploits. On descendait plus en aval, à près d'un kilomètre du chalet, et les courants violents nous entraînaient parfois si loin qu'il nous fallait une heure pour rentrer à travers la forêt après avoir enfin pu regagner la terre ferme, trempés et grelottants.

Jon ne voulait pas d'autre compagnie que la mienne. Il avait deux frères cadets, les jumeaux Lars et Odd, mais lui et moi étions du même âge. Je ne sais pas avec qui il passait son temps le reste de l'année, quand j'étais à Oslo. Il ne m'en parlait pas, et je ne lui parlais pas de ce que je faisais en ville.

Il ne frappait jamais à la porte. D'un pas silencieux il montait de la rivière après avoir amarré sa petite barque, puis il se contentait d'attendre devant le chalet. En général il ne me fallait pas longtemps pour m'apercevoir de sa présence. Même au petit matin, alors que je dormais encore, une inquiétude surgissait parfois au fond de mon rêve, comme si j'avais besoin d'aller aux toilettes et luttais pour me réveiller à temps. Mais en ouvrant les yeux, je comprenais que c'était autre chose qui me tracassait, et je me dirigeais droit vers la porte. Et alors il était là. Il souriait imperceptiblement en plissant les yeux, comme d'habitude.

— Tu viens? On va voler des chevaux.

Bien sûr, « on », c'était lui et moi, comme toujours. Si j'avais refusé de l'accompagner, son plaisir aurait été gâché. D'ailleurs, tout seul, ce n'est pas facile de voler des chevaux. C'est même impossible.

— Ça fait longtemps que tu es là?

— Je viens juste d'arriver.

C'est ce qu'il disait toujours, et jamais je n'ai su si c'était vrai. J'étais en caleçon sur le pas de la porte. En regardant par-dessus son épaule, j'apercevais des nappes de brouillard sur la rivière. Il faisait déjà jour, et plutôt frisquet. Dans quelques minutes j'aurais moins froid, mais pour l'instant je sentais la chair de poule gagner mes cuisses et mon ventre. Pourtant je n'ai pas bougé. Je contemplais la rivière qui surgissait du brouillard, scintillante et douce. Elle décrivait une boucle un peu plus haut, avant de passer devant le chalet. Je la connaissais par cœur. Pendant tout l'hiver, j'en avais rêvé.

— Quels chevaux?

— Ceux de Barkald. Ils sont en liberté au pacage, dans la forêt derrière la ferme.

— Je sais. Entre pendant que je m'habille.

— Je reste ici.

Il refusait toujours d'entrer, peut-être à cause de mon père. Il ne lui parlait jamais, à mon père. Ne le saluait jamais. Se contentait de baisser les yeux quand il le croisait sur le chemin de la boutique. Dans ces cas-là mon père se retournait et le suivait du regard :

— Ce n'était pas Jon?

— Si.

— Mais qu'est-ce qu'il a? disait alors mon père, mal à l'aise.

Et moi de répondre :

— Je ne sais pas.

Et c'était vrai. Je n'en savais rien et je n'ai jamais pensé à lui poser la question. Et maintenant Jon était là. Debout sur la dalle de pierre devant la porte, il regardait la rivière pendant que je récupérais mes vêtements suspendus au dos d'une chaise et me hâtais de les enfiler. Je n'aimais pas le faire attendre dehors, même en laissant la porte ouverte pour qu'il me voie.

Bien sûr, j'aurais dû me rendre compte que ce matin de juillet avait quelque chose de particulier. À cause du brouillard sur la rivière et de la brume qui enveloppait les collines peut-être, ou des intonations de Jon, de sa façon de bouger ou de rester immobile sur la dalle de pierre. Mais je n'avais que quinze ans et je n'ai rien remarqué, à part le fait que Jon n'avait pas son fusil. Pourtant il ne s'en séparait jamais, au cas où un lièvre surgirait devant nous. Mais je n'en ai pas été étonné ; pour attraper des chevaux, un fusil nous aurait plutôt gênés. On n'allait pas leur tirer dessus, tout de même. Jon avait son air habituel ; à la fois calme et tendu, avec ses yeux plissés. Concentré sur son projet, mais sans le moindre signe d'impatience. Ça me convenait, car il fallait bien l'avouer : dans la plupart de nos entreprises je faisais piètre figure à côté de Jon. Il avait des années d'entraînement derrière lui. La seule de nos activités où je me montrais à la hauteur, c'étaient nos chevauchées sur les troncs d'arbres. D'après Jon, j'avais un équilibre inné, une sorte de don naturel. Même si ce n'étaient pas exactement les mots qu'il employait.

Il m'avait appris à ne pas avoir peur. Grâce à lui j'avais compris qu'il suffisait de me laisser aller sans trop réfléchir pour échapper à mes inhibitions et accomplir des choses dont je n'aurais pas osé rêver.

— O.K. On y va, ai-je dit.

Nous sommes descendus vers la rivière. Il était tôt. Au-dessus de la colline, le soleil déployait maintenant son éventail de lumière. Autour de nous, la nature se parait de couleurs nouvelles, et les restes de brouillard semblaient fondre et s'évaporer au-dessus de l'eau. À travers mon pull j'ai senti l'arrivée soudaine de la chaleur. J'ai fermé les yeux et j'ai continué de marcher sans faire le moindre faux pas. Puis j'ai su que nous étions arrivés à la rivière, et j'ai ouvert les yeux. Je me suis faufilé entre les grosses pierres polies par le courant et je me suis assis à l'arrière de la petite barque. Jon l'a poussée, et il a sauté à bord. Après avoir obliqué à travers le courant à coups de rames brefs et énergiques, il nous a laissés dériver un moment. Puis il s'est remis à ramer, et nous avons touché terre une cinquantaine de mètres en aval, sur la rive opposée. Exactement à la distance qu'il fallait pour ne pas être vus du chalet.

Nous avons grimpé la petite côte, Jon d'abord et moi derrière lui, puis nous avons longé la clôture de barbelés. Dans le pré, un fin voile de brouillard recouvrait l'herbe déjà haute. Bientôt on allait la couper et la mettre à sécher sur des claies. Nous avions l'impression de marcher avec de l'eau jusqu'aux hanches, mais sans rencontrer de résistance. Comme dans un rêve. Dans mes rêves, il y avait souvent de l'eau. L'eau était mon amie.

Le pré appartenait à Barkald. C'était par là qu'on passait pour aller à la boutique dépenser nos sous en illustrés et caramels mous, les poches remplies de petite monnaie qui tintait à chacun de nos pas. Mais on pouvait aussi prendre la direction opposée pour aller chez Jon, et alors sa mère me saluait comme un prince, tandis que son père se plongeait dans le journal local ou s'inventait un travail urgent à la grange. Il y avait quelque chose dans cette maison que je ne comprenais pas. Mais ça ne me gênait pas. Pour moi, il pouvait bien rester dans sa grange. Je m'en foutais. De toute façon, à la fin de l'été, je rentrerais en ville.

La ferme de Barkald était située de l'autre côté de la route, derrière des champs où il semait alternativement de l'avoine et de l'orge selon les années. Elle était en bordure de la forêt, et la grange formait un angle droit avec la maison d'habitation. Ses quatre chevaux, il les avait mis au pâturage dans la forêt, dans un enclos fermé par deux fils de fer barbelés tendus entre les arbres. La forêt aussi était à lui, et elle était grande. C'était le plus gros propriétaire du coin. On le détestait tous les deux, mais je ne sais pas pourquoi. Il ne nous avait rien fait ; autant que je m'en souviens il ne nous avait jamais dit le moindre mot désagréable. Mais il possédait un vaste domaine, et Jon était le fils d'un petit fermier. Dans cette vallée près de la frontière suédoise il n'y avait pratiquement que des petits fermiers. Ils vivaient de leur récolte, et de l'argent qu'ils pouvaient gagner en livrant leur lait à la laiterie et en coupant du bois pendant la saison. Notamment dans la forêt de Barkald, et dans celle appartenant à un gros richard de Bærum : des milliers et des milliers d'hectares qui s'étendaient vers le nord et vers l'ouest. De l'argent, je n'en voyais pas circuler beaucoup. Barkald en avait sans doute, mais le père de Jon n'en avait pas, et mon père encore moins. À ma connaissance, en tout cas. Aujourd'hui encore, j'ignore comment il en avait trouvé pour acheter le chalet d'alpage où nous avons passé l'été. À vrai dire je n'ai jamais su exactement ce que faisait mon père pour gagner sa vie et subvenir à nos besoins. Ses activités changeaient constamment, mais elles impliquaient invariablement des outils de toutes sortes et même des petites machines ; parfois il élaborait des projets qui nécessitaient une longue réflexion, crayon à la main, et il lui arrivait de voyager aux quatre coins du pays. Il se rendait dans des endroits où je n'avais jamais mis les pieds et dont j'imaginais à peine l'existence. Mais il n'était plus employé par une quelconque entreprise. Parfois il était très occupé, parfois moins, mais d'une manière ou d'une autre il a pu réunir la somme nécessaire. Et quand nous étions venus l'année précédente, il s'était baladé partout avec un petit sourire rusé en caressant les arbres, il s'était assis sur une grosse pierre au bord de la rivière, le menton dans la main, et il avait promené son regard sur l'eau comme si le spectacle lui était familier. Ce qui, pourtant, ne pouvait pas être le cas.

Jon et moi avions fini de traverser le pré. Nous marchions sur la route, et nous avions beau connaître le chemin comme notre poche, tout nous paraissait différent. Nous allions voler des chevaux, et ça se voyait. Nous étions des criminels. Ça transforme les gens, ça change quelque chose dans leur regard et dans leur façon de marcher, c'est inévitable. Et voler des chevaux, c'était ce qu'il y avait de pire. Nous connaissions les lois qui régnaient à l'ouest de Pecos, nous dévorions les illustrés et leurs histoires de cow-boys. Et même si en réalité nous nous trouvions à l'est de Pecos, nous étions si loin à l'est qu'on pouvait aussi bien dire le contraire ; ça dépend dans quel sens on regarde le monde. Et ces lois étaient sans pitié. Si tu étais pris, on t'attachait à une branche d'arbre, une corde autour du cou ; du chanvre grossier contre ta peau douce. Puis quelqu'un donnait une tape sur le cul du cheval et tu courais dans le vide comme s'il y allait de ta vie. Et ta vie, justement, défilait devant tes yeux dans une suite d'images qui s'estompaient peu à peu ; tout ce que tu avais vu s'effaçait, toi-même tu t'effaçais et il n'y avait plus que du brouillard, puis du noir. Quinze ans seulement, voilà ta dernière pensée ; quinze ans, ce n'est pas vieux, et tout ça pour un cheval. Mais c'était trop tard. La maison de Barkald était là, grise et massive, à la lisière de la forêt. Elle paraissait plus menaçante que jamais. À cette heure matinale il n'y avait pas de lumière aux fenêtres, mais il était peut-être debout derrière l'une d'entre elles à surveiller la route. Et s'il voyait notre façon de marcher, il savait.

Nous ne pouvions plus faire demi-tour. Pendant quelques centaines de mètres, nous avons continué d'un pas assez raide, puis la maison a disparu derrière un tournant. Après un deuxième pré appartenant aussi à Barkald, nous avons pénétré dans la forêt. Entre les fûts de sapins régnait une atmosphère sombre et étouffante. Comme le soleil ne parvenait jamais jusqu'ici, il n'y avait pas de sous-bois, seulement une mousse vert foncé qui formait un épais tapis moelleux. Jon marchait le premier, je le suivais dans mes tennis usées, et le sol était élastique sous nos pieds. Puis nous avons bifurqué à droite en décrivant un arc de cercle. La forêt devenait moins dense, petit à petit la lumière est revenue, et soudain nous avons aperçu un scintillement. C'étaient les barbelés. Nous étions arrivés. Devant nous s'étendait une coupe de bois où ne subsistaient que quelques jeunes sapins et quelques bouleaux. En l'absence de grands arbres, ils paraissaient étrangement hauts et solitaires; certains n'avaient d'ailleurs pas résisté au vent du nord et gisaient au sol, les racines en l'air. Mais entre les souches poussait une herbe drue et pleine de sucs, et derrière un groupe d'arbustes il y avait les chevaux. Seule leur croupe était visible, et ils fouettaient de la queue pour chasser les mouches et les taons. Il régnait une odeur de crottin et de mousse humide, une odeur enveloppante, âpre et douceâtre, qui était celle de l'immensité qui nous entourait et défiait notre intelligence. Celle de la forêt qui s'étendait sans fin à travers la Suède et la Finlande et jusqu'en Sibérie. Une forêt où on pouvait se perdre, où des centaines d'hommes pouvaient se livrer à des battues pendant des semaines sans jamais vous retrouver. Et se perdre, ce n'était peut-être pas la pire des choses, ai-je pensé. Mais je ne savais pas qu'il était dangereux de penser ainsi.

Jon s'est baissé pour se faufiler entre les barbelés, qu'il écartait de ses mains. Moi je me suis couché pour me glisser en dessous. Nous avons tous les deux réussi à pénétrer dans l'enclos sans abîmer nos vêtements. Après nous être redressés avec précaution, nous avons marché dans l'herbe en direction des chevaux.

— Tu vois ce bouleau là-bas? a demandé Jon avec un geste de la main. Tu vas grimper dedans.

Pas loin des chevaux se dressait un grand bouleau solitaire. Ses branches étaient solides, et les premières étaient à plus de trois mètres du sol. D'un pas lent, mais sans hésiter, je me suis dirigé vers l'arbre. Les chevaux ont levé la tête et se sont tournés vers moi, puis ils se sont remis à brouter et n'ont plus bougé. Jon les a contournés de l'autre côté. Je me suis débarrassé de mes tennis, j'ai mis mes bras autour de l'arbre et mes mains ont trouvé une prise dans son écorce fendillée. J'ai appuyé un pied contre le tronc, puis j'ai fait pareil avec l'autre pied. Grimpant comme un singe, j'ai réussi à saisir la première branche de la main gauche. En me penchant en arrière j'ai pu l'attraper de la main droite également. Alors j'ai laissé mes pieds glisser le long du tronc et je suis resté suspendu quelques instants dans le vide avant de me hisser par les bras et m'asseoir sur la branche. À l'époque je savais encore faire ce genre de choses.

— O.K., ai-je lancé à voix basse. J'y suis.

Accroupi près des chevaux, Jon leur parlait doucement. Immobiles, tournant la tête vers lui, ils tendaient les oreilles pour écouter ce qui était à peine un chuchotement. Sur ma branche en tout cas je n'entendais pas ce qu'il disait, mais à mon signal il a bondi d'un seul coup.

— Allez hue ! a-t-il crié en écartant les bras.

Les chevaux ont rué et se sont mis à galoper. Pas très rapidement, mais pas lentement non plus. Deux d'entre eux ont bifurqué vers la gauche, et les deux autres se sont dirigés tout droit vers mon arbre.

— Tiens-toi prêt ! a crié Jon.

Puis il a fait le salut scout, trois doigts en l'air.

— Toujours prêt ! ai-je répondu.

Et je me suis retourné pour me coucher à plat ventre sur la branche. Mes jambes battaient l'air comme une paire de ciseaux. Le martèlement des sabots s'est propagé dans l'arbre et j'ai ressenti une légère vibration dans la poitrine. Mais il y avait aussi une vibration venant de l'intérieur de mon corps, une vibration qui partait de mon ventre et qui gagnait mes hanches. Contre elle, je ne pouvais rien et j'ai décidé de ne pas y penser. J'attendais.

Et les chevaux sont arrivés. Je les entendais haleter, l'arbre vibrait plus fort et le bruit des sabots m'envahissait la tête. Quand j'ai aperçu la bouche du premier, je me suis laissé glisser en écartant les jambes. J'ai lâché prise et j'ai atterri sur le dos du cheval, mais trop près de son encolure. Son garrot m'a heurté l'entrejambe et j'ai senti une nausée me monter à la gorge. Au cinéma, en voyant Zorro, ça avait l'air facile, mais j'ai eu les larmes aux yeux. J'avais envie de vomir, mais je n'osais pas lâcher la crinière du cheval. Je me suis penché en avant et j'ai serré les dents. Le cheval agitait furieusement la tête dans tous les sens et son échine me faisait mal. Soudain il s'est mis au galop, l'autre cheval l'a imité et nous avons foncé entre les souches en faisant un boucan d'enfer. Derrière moi j'ai entendu Jon crier :

— Yihaaa !

J'aurais bien voulu pousser un cri aussi, de triomphe bien sûr. Mais rien ne sortait, j'avais la bouche pleine de vomi et je n'arrivais pas à respirer. Alors j'ai desserré les lèvres et tout s'est répandu sur l'encolure du cheval. Des relents de vomissures se mélangeaient à la forte odeur de l'animal, et je n'entendais plus la voix de Jon. Mes oreilles bourdonnaient, le bruit des sabots s'estompait et les secousses me traversaient le corps et se confondaient avec les battements de mon cœur. Et soudain le silence a tout recouvert. Et le chant des oiseaux a percé le silence. J'entendais distinctement le merle en haut d'un arbre et l'alouette dans le ciel et plein d'autres oiseaux dont j'ignorais le nom. C'était étrange : comme un film muet avec une bande-son rajoutée. Je me trouvais à deux endroits différents en même temps et je ne ressentais plus aucune douleur.

— Yihaaa!

J'ai entendu ma voix résonner, mais elle semblait venir d'ailleurs, du vaste espace où chantaient les oiseaux; on aurait dit un cri d'oiseau surgi du silence. Pendant un instant j'ai été parfaitement heureux. Ma poitrine s'élargissait comme le soufflet d'un accordéon et il en sortait des notes quand je respirais. Et alors j'ai aperçu un scintillement entre les arbres. C'étaient les barbelés. Nous avions traversé tout l'enclos et nous foncions droit sur eux. Le dos du cheval me meurtrissait de nouveau et je me suis agrippé à son encolure en pensant « il va sauter ». Mais il n'a pas sauté. Les deux chevaux ont fait volte-face et les lois de la physique m'ont propulsé dans les airs. Gigotant de tous mes membres, j'ai survolé la clôture, j'ai senti les barbelés déchirer mon pull, j'ai éprouvé une douleur intense et j'ai atterri dans la bruyère. D'un seul coup, mes poumons se sont vidés.

J'ai dû m'évanouir quelques secondes, car en ouvrant les yeux j'ai eu l'impression d'assister au commencement du monde; rien n'était connu, mon cerveau était vide, comme nettoyé de toute pensée, et le ciel était d'un bleu limpide. Je ne me rappelais pas mon nom et je ne sentais plus mon corps. Je flottais sans identité dans un monde nouveau qui me paraissait étrangement lumineux et d'une beauté lointaine. Puis j'ai entendu un hennissement et un bruit de sabots, et tout est revenu me heurter de front comme un boomerang. Merde, ai-je pensé, me voilà paralysé. Je voyais mes pieds nus dans la bruyère, mais ils ne me paraissaient pas reliés au reste de mon corps.

J'étais encore couché sans bouger quand j'ai vu Jon s'approcher à cheval de la clôture. Il lui avait passé une corde autour du chanfrein pour le diriger. Il y a donné un coup sec et le cheval s'est arrêté, le flanc parallèle aux barbelés.

— Tu es tombé ? a-t-il dit en me regardant du haut de sa monture.

— Je suis paralysé.

— Ça m'étonnerait.

— Ah bon ?

J'ai de nouveau regardé mes pieds. Puis je me suis relevé. J'avais mal dans le dos et dans les côtes, mais apparemment je n'avais rien de cassé. Je saignais abondamment d'une plaie à l'avant-bras, à l'endroit où mon pull s'était déchiré, mais je ne voyais pas d'autres blessures. J'ai arraché ce qui restait de la manche et je l'ai nouée autour de mon bras en m'appuyant sur ma cuisse. Ça me brûlait atrocement. Juché sur son cheval, Jon ne bougeait pas. J'ai vu qu'il tenait mes chaussures à la main.

— Tu veux remonter à cheval ?

— Je ne crois pas. J'ai mal aux fesses.

Ce n'était pourtant pas là que je souffrais le plus. Jon m'a semblé esquisser un sourire, mais je n'en étais pas sûr, car j'avais le soleil dans les yeux. Il s'est laissé glisser à terre, puis il a défait la corde et donné une tape au cheval pour l'éloigner. Le cheval ne s'est pas fait prier.

Jon a franchi la clôture comme tout à l'heure, le pied léger, sans la moindre écorchure. Il m'a rejoint, puis il a laissé tomber mes chaussures devant moi :

— Tu peux marcher ?

— Je crois.

Pour éviter de me pencher, j'ai enfilé mes chaussures sans nouer les lacets, et nous avons pénétré plus loin dans la forêt, Jon d'abord et moi derrière lui, l'entrejambe endolori et le dos raide, traînant un peu la patte et serrant mon bras blessé contre mon corps. Nous nous enfoncions

36

parmi les arbres, toujours plus loin, et je me suis dit que je n'aurais pas le courage de refaire tout ce chemin quand il faudrait revenir sur nos pas. Et j'ai pensé à mon père ; la semaine précédente il m'avait demandé de faucher l'herbe derrière le chalet. Elle était trop haute ; elle finirait par se coucher et former un tapis jauni qui empêcherait la repousse. Je n'avais qu'à me servir de la faux courte, m'avait-il dit ; elle était plus facile à manier quand on n'avait pas l'habitude. Je suis allé chercher la faux dans la cabane à outils. J'ai mobilisé toutes mes forces pour m'attaquer à la besogne, imitant les gestes de mon père, et j'ai fauché jusqu'à me retrouver en nage. Ça ne s'est pas trop mal passé, même si je n'étais pas habitué à l'outil. Mais au pied du mur il y avait plein de grandes orties, et je les ai évitées en fauchant tout autour. Mon père est sorti du chalet et il m'a observé. Il penchait la tête en se frottant le menton, et je me suis redressé. J'attendais ce qu'il allait me dire.

— Pourquoi tu ne fauches pas ça ?

J'ai regardé le manche court de la faux, puis les orties.

— Ça fait mal, ai-je répondu.

Alors il m'a regardé avec un petit sourire en secouant la tête.

— C'est à toi de décider si tu as mal, a-t-il dit, de nouveau sérieux.

Puis il s'est approché. Il a empoigné les plantes urticantes à mains nues et il les a arrachées une par une. Il les jetait en tas sur le sol et il ne s'est pas arrêté avant d'en être venu à bout. Rien dans son visage n'indiquait qu'il avait mal, et maintenant, en marchant derrière Jon sur ce sentier, j'avais un peu honte. Alors je me suis redressé et j'ai adopté un rythme normal. Et au bout de quelques mètres je me suis demandé pourquoi je ne l'avais pas fait tout de suite.

— Où on va ?

— Je vais te montrer quelque chose. C'est pas loin.

Le soleil était haut maintenant, sous les arbres l'air était brûlant, ça sentait le chaud et la forêt était pleine de bruits : des battements d'ailes, des branches qui ployaient, des brindilles qui craquaient ; le cri d'un épervier et celui d'un lièvre rendant son dernier soupir ; le vacarme silencieux des abeilles quand elles se posaient sur une fleur. J'entendais les fourmis cheminer dans la bruyère, et notre sentier montait à flanc de colline. J'ai respiré à fond en me disant que jamais je n'oublierais cet endroit, que je m'en souviendrais toujours, quoi qu'il arrive ; que l'éloignement n'y changerait rien et que ce lieu me manquerait. Et, en me retournant, j'ai aperçu la vallée à travers un entrelacs de pins et de sapins. Je voyais les méandres étincelants de la rivière, je voyais le toit en tuiles rouges de la scierie de Barkald plus au sud, je voyais les petites fermes dont les lopins de terre formaient des taches vertes le long du ruban d'eau. Je connaissais les familles qui y habitaient, je savais combien de personnes il y avait sous chaque toit, et même si je n'apercevais pas notre chalet sur l'autre rive, je distinguais nettement les arbres qui le cachaient. Je me suis demandé si mon père dormait encore ou s'il était debout et me cherchait, s'il s'inquiétait de mon absence. Mais il devait se dire que j'allais bientôt rentrer et qu'il ferait mieux de commencer à préparer le petit déjeuner. Et je me suis soudain rendu compte à quel point j'avais faim.

— C'est ici.

Jon montrait du doigt un immense sapin sur le bord du sentier. Nous étions immobiles tous les deux.

— Il est grand, ai-je dit.

— C'est pas ça. Viens.

Il s'est approché du sapin et a commencé à grimper. Ce n'était pas bien compliqué, les premières branches étaient grandes et solides, elles ployaient et étaient faciles à atteindre. En un rien de temps il était déjà à plusieurs mètres du sol, et je l'ai suivi. Il grimpait vite, mais il s'est arrêté au bout d'une dizaine de mètres pour s'asseoir sur une branche et m'attendre. Il y avait assez de place pour deux, et j'ai pu m'asseoir à côté de lui. Il m'a montré un point où la branche se scindait en deux. Juste à cet endroit-là il y avait un nid d'oiseau, de l'aspect d'une coupelle ou d'un cornet. Des nids, j'en avais vu beaucoup, mais aucun ne m'avait paru aussi petit, aussi léger, d'une forme aussi parfaite, avec son mélange de mousse et de duvet. Et il ne semblait pas attaché à la branche. Il paraissait flotter dans l'air.

— C'est le roitelet, a dit Jon à voix basse. Sa deuxième couvée.

Il s'est penché pour tendre la main vers l'ouverture du nid. Il y a glissé trois doigts et en a retiré un œuf si petit que j'en suis resté bouche bée. Il le faisait rouler entre ses doigts et l'approchait de moi pour que je l'examine. Rien qu'à le regarder, j'avais le vertige ; il me paraissait inconcevable que dans quelques semaines seulement cette petite boule ovale allait se transformer en un oiseau vivant, un oiseau avec des ailes, capable de plonger du sommet de l'arbre sans s'écraser au sol, capable de défier les lois de la gravitation grâce à sa volonté et son instinct. Et je n'ai pas pu m'empêcher de m'exclamer :

— Mince alors ! Dire que ce petit machin va devenir un être vivant et s'envoler !

Ma phrase m'a paru un peu ridicule ; elle était loin d'exprimer le sentiment d'apesanteur que j'éprouvais. Mais à ce moment-là il a dû se passer quelque chose que je n'ai pas compris, car lorsque j'ai levé les yeux vers Jon, son visage était blême et tendu. Je ne saurai jamais si c'était à cause de ce que je venais de dire ou à cause de l'œuf qu'il tenait à la main, mais tout d'un coup il avait changé. Il me regardait fixement comme s'il ne m'avait jamais vu. Pour une fois il ne plissait pas les yeux, et ses pupilles étaient noires et dilatées. Et soudain il a ouvert la main et il a lâché l'œuf. L'œuf a roulé le long du tronc, je l'ai suivi du regard, il s'est écrasé contre une branche un peu plus bas, et une multitude de petites particules claires a jailli dans tous les sens avant de retomber doucement comme des flocons de neige. C'est ainsi que je le revois dans mon souvenir en tout cas. Et je crois que rien ne m'a jamais rendu aussi désespéré. J'ai de nouveau levé le regard vers Jon. Il était penché en avant. D'une main il a arraché le nid. Il le tenait à bout de bras, puis il a serré les doigts et il l'a réduit en miettes devant mes yeux. J'ai voulu dire quelque chose, mais j'étais incapable de parler. Le visage de Jon n'était plus qu'un masque livide, sa bouche était ouverte, et il en sortait des bruits qui me faisaient froid dans le dos. Jamais je n'avais entendu de tels bruits; des bruits gutturaux venant d'un animal que je ne connaissais pas et que je n'avais aucune envie de connaître. Il a desserré les doigts, puis il a plaqué sa main contre le tronc de l'arbre et frotté sa paume contre l'écorce. De fines pellicules se sont envolées, et à la fin il ne restait plus qu'une espèce de glu que je n'ai pas eu le courage de regarder. Pendant un bon moment j'ai fermé les yeux. Quand je les ai ouverts, Jon était déjà en train de redescendre. Il se laissait glisser d'une branche à l'autre, je voyais ses cheveux bruns et raides, et pas une seule fois il n'a levé le regard vers moi. À quelques mètres du sol, il s'est laissé tomber et il a atterri avec un bruit sourd qui s'entendait jusqu'à l'endroit où j'étais assis. On aurait dit un sac vide. Puis il s'est mis à genoux et s'est frappé la tête contre le sol. Ça m'a paru durer une éternité. Une éternité pendant laquelle je retenais mon souffle sans bouger. Je n'ai pas compris ce qui s'était passé, mais j'avais le sentiment que c'était de ma faute. Seulement, je ne savais pas pourquoi. Il a fini par se relever, et d'un pas raide il s'est éloigné sur le sentier. Alors j'ai libéré l'air de mes poumons et j'ai respiré lentement et à fond. Ça faisait un sifflement dans ma poitrine, je l'entendais nettement, comme si j'avais de l'asthme. Je connaissais quelqu'un qui avait de l'asthme, quelqu'un qui habitait la même rue que nous à Oslo. Quand il respirait, ça faisait le même bruit. Ça y est, j'ai de l'asthme, ai-je pensé, merde alors. C'est comme ça qu'on attrape de l'asthme. Quand il vous arrive quelque chose. Et j'ai commencé à descendre. Moins vite que Jon; un peu comme si chaque branche était un repère que je devais longuement serrer dans mes mains pour ne rien manquer d'important. Et je n'ai pas cessé de surveiller ma respiration.

Est-ce à ce moment-là que le temps a changé ? Je le crois. J'étais debout au milieu du sentier et nulle part je ne voyais Jon, il avait dû disparaître par le chemin que nous avions pris tout à l'heure. Et tout à coup j'ai entendu un bruissement dans les arbres. J'ai levé les yeux et j'ai vu leurs cimes s'agiter, j'ai vu les grands pins se courber sous le vent et j'ai senti le sol bouger sous mes pieds. C'était comme si je marchais sur l'eau, j'avais le vertige et j'ai cherché à me raccrocher à quelque chose. Mais tout n'était que mouvement. Le ciel si bleu tout à l'heure était devenu gris acier, et des lueurs d'un jaune maladif embrasaient la colline d'en face. Et soudain il y a eu un éclair, suivi d'un coup de tonnerre si violent que je l'ai ressenti dans tout mon corps. La température a brusquement chuté et j'avais mal à l'endroit où les barbelés m'avaient entaillé le bras. Je me suis mis à marcher d'un pas rapide, je courais presque sur le sentier. Arrivé près de l'enclos, j'ai jeté un œil par-dessus les barbelés, mais je n'ai pas vu les chevaux. Un instant j'ai songé à couper à travers l'enclos, mais j'ai fini par en faire le tour jusqu'au sentier qui descendait vers la route. J'ai pris à gauche et je me suis mis à courir. Le vent s'était calmé, mais il régnait un silence de mort dans la forêt, et mon asthme tout nouveau me comprimait la poitrine.

J'étais debout au milieu de la route. J'ai senti les premières gouttes sur mon front. Un peu plus loin j'ai aperçu le dos de Jon. Il n'avait pas dû courir, sinon il aurait déjà été plus loin, et il marchait ni vite ni lentement. Il marchait, c'est tout. Je me suis dit que j'allais l'appeler, lui demander de m'attendre, mais je n'étais pas sûr d'avoir assez de souffle. Et puis, quelque chose dans son dos me disait qu'il valait mieux ne rien faire, si bien que je me suis contenté de le suivre en gardant la même distance entre nous. Chez Barkald, les fenêtres bien éclairées se détachaient maintenant sur le ciel sombre, et je me suis demandé s'il était debout derrière l'une d'entre elles, s'il nous regardait et comprenait d'où nous venions. J'ai levé la tête, espérant que la pluie se limiterait aux quelques gouttes que je venais de sentir, mais à l'instant même il y a eu un éclair, immédiatement suivi d'un coup de tonnerre. Je n'ai jamais eu peur de l'orage, mais je savais que lorsque les éclairs et les coups de tonnerre étaient si rapprochés, la foudre pouvait tomber tout près. Ça faisait quand même un drôle d'effet de marcher sur cette route où il n'y avait rien pour se mettre à l'abri. Et brusquement un mur de pluie s'est abattu devant moi. J'ai traversé le mur et en quelques secondes j'ai été trempé, comme si j'avais été tout nu. Le monde n'était plus qu'une masse grise et liquide, et je distinguais à peine la silhouette de Jon une centaine de mètres plus loin. Mais je n'avais pas besoin de lui pour trouver mon chemin, je

savais par où il fallait aller. J'ai coupé à travers le pré de Barkald; si je n'avais pas déjà été trempé, l'herbe haute aurait
suffi à rendre mon pantalon lourd et collant. Mais ça n'avait
plus d'importance. Je me suis dit que Barkald allait être
obligé d'attendre plusieurs jours, le temps de laisser sécher
l'herbe, avant de faucher son pré. On ne peut pas faucher
de l'herbe mouillée. J'ai pensé qu'il allait peut-être nous
demander un coup de main pour la fenaison, à mon père
et à moi, comme on l'avait fait l'année précédente. Et je me
suis demandé si Jon avait pris sa barque et traversé la rivière
tout seul, ou s'il m'attendait. Je pouvais toujours remonter
jusqu'à la route et passer par le pont, mais ce serait pénible
et bien plus long. Ou alors je pouvais traverser à la nage.
Mais l'eau devait être froide, et les courants violents. Je grelottais dans mes vêtements trempés; je serais mieux si je me
déshabillais. Je me suis arrêté et j'ai commencé à enlever
mon pull et ma chemise. Ce n'était pas facile, ils me col-
laient à la peau, mais j'ai fini par y arriver. Je les ai roulés en
boule et je les ai glissés sous mon bras. Il y avait de l'eau partout, c'en était presque comique, et la pluie frappait mon
torse et me procurait une étrange impression de chaleur.
Je me suis frotté la peau et je n'ai rien ressenti, mes doigts
étaient complètement engourdis et ma peau insensible. La
fatigue commençait à me gagner. J'avais sommeil; j'aurais
bien voulu m'allonger un instant et fermer les yeux. J'ai
encore fait quelques pas. Je me suis essuyé le visage. La tête
me tournait. Et soudain j'étais au bord de la rivière. Jon
était là dans sa barque, juste devant moi. Ses cheveux, si
raides et hirsutes d'ordinaire, étaient plaqués contre son
crâne. Il me dévisageait à travers la pluie, tout en manœuvrant pour maintenir l'arrière de la barque près des berges.
Mais il n'a rien dit.

— Salut, lui ai-je lancé en marchant d'un pas mal assuré sur les pierres glissantes.

J'ai trébuché, mais je ne suis pas tombé, et j'ai réussi à monter à bord. Je me suis assis sur le dernier banc de nage. À peine étais-je installé que Jon a commencé à ramer. J'ai compris que c'était dur, car nous allions à contre-courant, et nous n'avancions pas vite. Il devait être fatigué, mais il voulait manifestement me ramener chez moi. Lui habitait en aval. J'ai voulu lui dire que ce n'était pas la peine, qu'il n'avait qu'à me déposer sur l'autre rive, que je ferais le reste du chemin à pied. Mais je n'ai rien dit. Je n'en ai pas eu la force.

Enfin nous étions arrivés. Avec un dernier effort, Jon a viré, puis il a culé pour accoster. Je n'avais plus qu'à descendre. Et c'est ce que j'ai fait. Un instant je suis resté sur la rive à le regarder.

— Salut, ai-je dit, à demain !

Mais il n'a pas répondu. Il s'est contenté de sortir les rames de l'eau, puis il a laissé la barque dériver. Il me fixait de ses yeux plissés, et je savais que jamais je n'oublierais ce regard.

3

Nous étions arrivés quinze jours plus tôt par le train d'Oslo, mon père et moi. À Elverum nous avions pris un car. Le trajet avait duré des heures, et le car s'était arrêté un peu partout sans que je comprenne pourquoi. Le soleil tapait fort, de temps en temps je m'endormais sur mon siège brûlant, et chaque fois que je me réveillais et regardais par la vitre, je me disais qu'on n'avait pas avancé d'un pouce, car je voyais exactement le même paysage qu'avant : une route en terre battue qui serpentait entre les champs, des petites fermes et d'autres plus grandes avec des maisons d'habitation blanches et des granges peintes en rouge, des vaches couchées dans l'herbe le long de la route et qui ruminaient au soleil, les yeux mi-clos, derrière les clôtures ; presque toutes étaient brunes, mais il y en avait aussi des pie-rouge et des pie-noir. Et au-delà des fermes, une forêt aux reflets bleutés qui recouvrait des collines toujours identiques.

Le voyage nous a pris la journée, et le plus étrange, c'est que je ne me suis pas ennuyé. J'aimais contempler le paysage jusqu'à sentir mes paupières devenir lourdes et chaudes ; je m'endormais, je me réveillais et je regardais par la vitre pour la millième fois. Je me tournais parfois vers mon père qui avait le nez plongé dans son livre, un manuel sur les techniques du bâtiment ou sur les moteurs; c'était un mordu de mécanique. Alors il levait la tête en souriant, je répondais à son sourire et il se replongeait dans son bouquin. Et je me rendormais en rêvant de quelque chose de chaud et de doux.

Quand je me suis enfin réveillé pour de bon, c'était parce que mon père me secouait l'épaule :

— Allez, chef!

J'ai ouvert les yeux et j'ai regardé autour de moi. Le car était arrêté à l'ombre du grand chêne devant la boutique. Le moteur était coupé. J'apercevais le sentier qui descendait vers le pont. À cet endroit la rivière était étroite, et le soleil faisait étinceler la crête mousseuse des vagues sur les rapides bouillonnants. Nous étions les derniers passagers. Il fallait descendre. La route n'allait pas plus loin, nous devions faire le reste du chemin à pied. Je me suis dit que c'était tout à fait le genre de mon père de m'emmener dans le coin le plus reculé qu'on puisse trouver sans quitter la Norvège, et je me suis demandé pourquoi il avait choisi cet endroit-là. J'avais l'impression qu'il me mettait à l'épreuve, mais ça ne me dérangeait pas. J'avais confiance en lui.

Nous avons récupéré nos affaires à l'arrière du car et nous nous sommes dirigés vers la rivière. Au milieu du pont nous nous sommes arrêtés pour regarder l'eau tourbillonnante et presque verte, et nous avons sorti nos cannes à pêche en bambou et lancé nos lignes par-dessus le garde-fou en bois tout neuf.

— Tu vas voir ce que tu vas voir, Jakob! a dit mon père en crachant dans l'eau.

Pour mon père, tout poisson s'appelait Jakob. Aussi bien dans l'eau salée du fjord d'Oslo, quand il penchait le buste par-dessus le plat-bord et brandissait son poing en rigolant — « Tu vas voir, Jakob, on va t'attraper » —, que dans cette rivière qui partait en demi-cercle de la frontière suédoise pour traverser le village et retourner en Suède quelques kilomètres plus au sud. Je me souviens d'avoir contemplé le torrent l'année précédente en me demandant si, au goût, on pouvait se rendre compte que l'eau était suédoise et que nous ne faisions que l'emprunter. Mais à l'époque j'étais beaucoup plus jeune et je ne connaissais rien à la vie. Et de toute façon, la pensée m'a seulement effleuré. Debout sur le pont, nous nous sommes regardés en souriant, tous les deux. Moi en tout cas, j'ai senti l'excitation me gagner.

— Comment ça va? m'a-t-il demandé.

— Bien, ai-je répondu.

Et j'ai éclaté de rire.

Maintenant je remontais de la rivière sous la pluie. Derrière moi, le courant emportait Jon et sa barque. Je me demandais s'il se parlait à lui-même, comme je le faisais souvent quand j'étais seul. Examinant mes faits et gestes, pesant le pour et le contre et me disant finalement que je n'avais pas eu le choix. Mais lui ne devait sûrement pas faire ça.

J'avais froid de partout et je claquais des dents. Sous le bras j'avais mon pull et ma chemise, mais il était trop tard pour les enfiler. Le ciel était plus noir qu'en pleine nuit. Dans le chalet, mon père avait allumé la lampe à pétrole, je voyais une lumière jaune et chaude aux fenêtres, et de la cheminée montait une fumée grise que la pluie rabattait vers le toit. Pluie et fumée s'écoulaient le long des tuiles d'ardoise comme une soupe grisâtre. C'était étrange à voir.

La porte entrouverte laissait paraître un rai de lumière. Je me suis approché et j'ai senti une odeur de bacon frit. Je me suis arrêté sous le petit auvent. Pour la première fois depuis un bon moment je n'ai plus senti la pluie tambouriner sur mon crâne. Pendant quelques instants je n'ai pas bougé, puis j'ai ouvert la porte en grand et je suis entré. Debout devant la cuisinière à bois, mon père était en train de préparer le petit déjeuner. Je suis resté sur le seuil, tout dégoulinant. Il ne m'avait pas entendu. Je ne savais pas quelle heure il était, mais j'étais sûr qu'il avait attendu le plus longtemps possible pour faire à manger. Par-dessus sa chemise à carreaux il avait enfilé le vieux pull troué qu'il aimait porter quand il n'allait pas à son travail. Sa barbe avait poussé, il ne s'était pas rasé depuis notre arrivée. Poilu et libre, avait-il l'habitude de dire en se frottant le menton. Cet homme me plaisait. J'ai toussoté, et il s'est retourné. Il m'a regardé, la tête penchée. J'ai attendu qu'il dise quelque chose.

— Ça alors ! tu es trempé !

J'ai acquiescé de la tête.

— Ça, oui, ai-je répondu en claquant des dents.

— Bouge pas.

Il a posé la poêle sur le coin du fourneau et il est allé chercher une grande serviette dans la chambre.

— Enlève ton pantalon et tes chaussures.

J'ai fait ce qu'il a dit. Ce n'était pas facile. J'étais là tout nu. J'ai eu l'impression de redevenir un petit garçon.

— Approche-toi de la cuisinière.

J'ai encore fait ce qu'il a dit. Il a rajouté deux bûches dans le foyer, puis il a refermé la petite porte. À travers l'ouverture du clapet de tirage, j'ai vu les flammes s'élever. Des vagues de chaleur se dégageaient de la fonte noire et me faisaient presque mal. Il m'a enveloppé dans la serviette et a commencé à me frictionner. Doucement d'abord, puis de plus en plus fort. J'ai eu l'impression de m'enflammer, comme les morceaux de bois que les Indiens frottent l'un contre l'autre pour faire du feu. J'étais raide et sec comme un bout de bois, et je me suis transformé en une masse incandescente.

— Voilà, tiens la serviette toi-même.

Je l'ai serrée autour de mes épaules. Il est retourné dans la chambre et il est revenu avec un pantalon propre, un gros pull et des chaussettes. J'ai pris mon temps pour me rhabiller.

— Tu as faim ?

— Oui, ai-je répondu.

Puis je n'ai plus rien dit pendant un certain temps. Je me suis attablé et il m'a servi des œufs au bacon et du pain qu'il avait fait cuire dans le vieux four. Il en a coupé des tranches épaisses et il y a étalé de la margarine. J'ai englouti tout ce qu'il a posé devant moi et il s'est assis pour manger lui aussi. Nous entendions la pluie frapper contre le toit, il pleuvait sur la rivière et sur la barque de Jon, sur la route et sur les champs de Barkald, il pleuvait sur la forêt et sur les chevaux dans l'enclos et sur les nids d'oiseaux dans les arbres, il pleuvait sur les élans et sur les lièvres et sur le toit de chaque maison du village. Mais à l'intérieur du chalet nous étions au sec et bien au chaud. La cuisinière à bois ronronnait, je n'ai rien laissé dans mon assiette, et mon père a mangé avec un petit sourire comme si c'était un matin ordinaire, alors que ça ne l'était pas. Et soudain j'ai eu sommeil. J'ai appuyé les bras sur la table, j'ai posé ma tête sur mes mains et je me suis endormi.

Je me suis réveillé sous la couette dans la couchette du bas, celle de mon père. J'étais tout habillé. Le soleil déjà haut brillait à travers la fenêtre, et il devait être midi passé. J'ai écarté la couette, j'ai glissé mes jambes hors du lit et j'ai posé les pieds par terre. Je me sentais en pleine forme. J'avais une légère douleur dans les côtes, mais elle ne me gênait pas. J'ai regagné la pièce commune. La porte était grande ouverte et le soleil éclairait la cour. L'herbe était luisante d'humidité et à un mètre du sol flottaient des nappes de vapeur cotonneuses. Une mouche bourdonnait près de la fenêtre. Devant le placard, mon père était en train de vider son sac à dos et de ranger les commissions. Pendant mon sommeil il avait fait tout le chemin jusqu'à la boutique.

Quand il m'a vu, il s'est figé, un sac en papier dans une main. Tout était silencieux, et il avait une expression grave.

— Comment ça va? m'a-t-il demandé.

— Bien. Je me sens en pleine forme.

— Tant mieux.

Il s'est tu, puis il a poursuivi :

— Ce matin, quand tu es sorti, tu étais avec Jon?

— Oui.

— Et qu'est-ce que vous faisiez?

— On est allés voler des chevaux.

Mon père avait l'air inquiet :

— Qu'est-ce que tu racontes? Quels chevaux?

— Ceux de Barkald. En fait, on ne voulait pas vraiment les voler. On voulait juste les monter. Mais on dit voler, parce que c'est plus excitant.

J'ai esquissé un sourire, mais il ne s'est pas départi de son sérieux.

— Pour moi, ça s'est mal terminé. Le cheval m'a projeté par-dessus les barbelés.

Je lui ai montré la plaie sur mon bras. Il m'a regardé droit dans les yeux :

— Et Jon, comment il était?

— Jon? Il était comme d'habitude. Sauf à la fin. Il a voulu me montrer un nid de roitelet, et tout d'un coup il s'est mis à le broyer. Comme ça, ai-je dit en imitant le geste de Jon.

50

Mon père m'a regardé en hochant la tête. Il a rangé les dernières courses et il a refermé le placard. Puis il s'est frotté le menton.

— Et après il a filé, et l'orage a éclaté, ai-je ajouté.

Mon père est allé poser son sac à dos à côté de la porte, et il s'est mis à contempler la cour en me tournant le dos. Il se grattait la nuque. Soudain il s'est retourné, puis il est revenu s'asseoir à la table.

— Tu veux savoir de quoi on parle à la boutique ?

Ça m'intéressait très moyennement, mais il allait de toute façon me le raconter.

— Oui, ai-je répondu.

La veille, Jon était parti avec son fusil chasser le lièvre, comme d'habitude. Je ne comprenais pas cette manie de chasser le lièvre, mais c'était devenu sa marotte. Et il était doué, il en tuait un sur deux, ce qui n'était pas mal étant donné la rapidité et la petite taille de l'animal. Je n'ai jamais su si sa famille les mangeait tous. Ça devait être un peu monotone comme nourriture. Quoi qu'il en soit, ce jour-là il est revenu avec deux lièvres attachés par les oreilles avec une corde, et il rayonnait de joie, car il n'avait tiré que deux cartouches et il avait fait mouche à chaque fois. C'était exceptionnel, même pour lui. En arrivant à la maison, il a voulu montrer son butin de chasse à ses parents, mais sa mère était allée rendre visite à des amis au bourg et son père était dans la forêt. Le matin en partant il n'y avait plus pensé, il avait oublié que ses parents devaient s'absenter. Pourtant il était censé surveiller les jumeaux. Il a posé son fusil dans le couloir, il a accroché les lièvres à une patère et il a cherché ses frères partout. Mais ils n'étaient nulle part dans la maison. Il s'est précipité dans la cour et il a fait le tour de la grange et de la remise, mais sans résultat. Alors il a paniqué. Il a couru jusqu'à la rivière, il a pénétré dans l'eau et il a scruté les rives en amont et en aval. Mais il n'a rien vu à part un écureuil dans un sapin.

— Sale bête, a-t-il crié.

Il a plongé ses mains dans l'eau, faisant le geste de l'écarter pour mieux voir le fond, mais c'était absurde, l'eau ne lui arrivait qu'aux genoux et elle était parfaitement limpide. Il s'est redressé et il a repris son souffle en essayant de rassembler ses esprits. Et c'est alors qu'un coup de feu a éclaté dans la maison.

Le fusil. Il avait oublié de mettre le cran de sûreté, il n'avait pas enlevé les cartouches. D'habitude, c'était pourtant la première chose qu'il faisait en rentrant. L'arme était son seul objet de valeur ; depuis que son père lui en avait fait cadeau pour ses douze ans, il le nettoyait toujours scrupuleusement et en prenait soin comme d'un bébé. Son père lui avait bien recommandé d'y faire attention et de ne s'en servir qu'à bon escient. Et il ne manquait jamais d'enlever les cartouches et de mettre le cran de sûreté avant de l'accrocher en haut du placard. Mais aujourd'hui il s'était contenté de le poser dans le couloir, car il venait de se souvenir de ce qu'il avait oublié : il était responsable des jumeaux. Ils étaient seuls à la maison. Ils n'avaient que dix ans.

Jon est sorti de l'eau en trombe. Il a couru le long des berges, puis il a coupé en ligne droite pour remonter à la maison. Le chemin lui a paru bien long tout d'un coup, son pantalon mouillé jusqu'aux genoux était alourdi, ses chaussures faisaient flic flac, et chacun de ses pas provoquait un gargouillis qui lui soulevait le cœur. À mi-chemin il a vu son père surgir de la forêt et s'élancer vers la maison. Jamais il n'avait vu son père courir ; le spectacle de cet homme lourd et massif se précipitant dans la cour à grandes enjambées, les bras maladroitement levés à hauteur d'épaules comme s'il fendait l'eau, lui a paru si terrifiant qu'il s'est arrêté net. Il s'est assis dans l'herbe ; de toute façon, c'était trop tard, son père arriverait à la maison avant lui. Et il s'est rendu compte qu'il ne voulait surtout pas savoir ce qui s'était passé.

Or il s'était passé ceci : dans la matinée les jumeaux avaient joué dans la cave avec des vieux vêtements et des vieilles chaussures éculées. Ils étaient remontés en chahutant et au moment de débouler dans le couloir ils avaient aperçu les lièvres accrochés à la patère et le fusil posé contre le mur. C'était le fusil de Jon ; ça, ils le savaient, et leur grand frère Jon était leur héros. Si leurs idoles étaient celles que j'avais à leur âge, Jon devait être Davy Crockett et Kit Carson et Huckleberry Finn en une seule et même personne. Tout ce que faisait Jon pouvait être imité et devenir un jeu.

Lars est arrivé le premier. Il a empoigné le fusil.

— Regarde-moi ! a-t-il crié en le brandissant.

Et il a fait feu.

Le bruit et le recul l'ont fait tomber à la renverse. Il n'avait rien visé en particulier, il avait seulement voulu tenir entre ses mains le merveilleux fusil, il avait voulu être Jon. Il aurait pu toucher la huche à bois ou la petite fenêtre donnant sur la cour ou la photo du grand-père à la longue barbe qui pendait dans un cadre doré juste au-dessus de la patère. Ou l'ampoule électrique sans abat-jour qui restait toujours allumée pour éclairer la petite fenêtre et aider les gens à trouver leur chemin dans la nuit. Mais il n'a rien touché de tout cela. La balle a atteint Odd en plein cœur. Et dans un roman du Far West, on aurait sans doute raconté que le nom d'Odd était gravé sur cette balle, que tout était écrit dans les étoiles ou dans le gros livre du destin. Qu'aucun geste, aucune parole n'aurait pu dévier les lignes qui s'étaient croisées en cet instant fatal. Que des forces qui nous dépassent avaient pointé le fusil dans cette direction. Mais ce n'était pas vrai, et Jon le savait. Accroupi dans l'herbe, il a vu son père sortir de la maison, le corps de son frère dans les bras. Et le seul livre où le nom d'Odd resterait écrit à tout jamais était le registre paroissial.

Mon père n'a pas pu me raconter tout cela, pas avec autant de détails en tout cas, mais c'est ainsi que je le vois dans mes souvenirs. Je ne sais pas si c'est tout de suite ou au fil des ans que j'ai commencé à broder sur les faits, mais en tout cas ils étaient là ; impossible de les nier. Mon père m'a regardé par-dessus la table d'un air interrogateur, comme s'il espérait une parole intelligente de ma part. Après tout, je connaissais mieux que lui les protagonistes du drame. Mais je ne voyais que le visage blême de Jon et la pluie qui frappait la rivière quand il a poussé la barque pour se laisser dériver vers sa maison et ceux qui l'y attendaient.

— Et ce n'est pas tout, a dit mon père.

La veille du jour où Lars avait tiré sur son frère jumeau Odd, leur mère était partie aux aurores avec le chauffeur qui venait livrer des marchandises à la boutique. Le lendemain, jour du drame, leur père devait aller la chercher au bourg avec le cheval et la carriole. Le cheval s'appelait Bramina. C'était une grosse jument baie de quinze ans, à l'étoile et aux balzanes blanches. Je la trouvais jolie, mais elle n'était pas particulièrement alerte ; Jon prétendait même qu'elle avait le souffle court à cause d'un soupçon de rhume des foins, phénomène peu courant chez les chevaux. Avec elle il fallait bien compter une journée pour faire l'aller-retour.

Le père était debout dans la cour, le garçon mort dans ses bras. Couché dans l'herbe, son fils aîné ne bougeait pas et paraissait mort lui aussi. Le père savait qu'il fallait y aller. Il l'avait promis. Il ne pouvait pas faire autrement. Et pour être de retour avant la nuit, il devait partir tout de suite. Il est retourné à l'intérieur. Dans le couloir se tenait Lars, figé et silencieux. Son père l'a bien vu, mais il était incapable de penser à plusieurs choses à la fois. Il est allé dans la chambre, il a posé Odd sur le lit conjugal et il a pris une couverture pour recouvrir le petit corps. Il lui a enlevé son pantalon et sa chemise ensanglantée et il lui a mis des vêtements propres. Puis il est allé harnacher Bramina. Du coin de l'œil il a vu Jon se lever et s'approcher lentement de l'écurie. Une fois la jument attelée à la carriole, Jon est arrivé à sa hauteur. Son père s'est retourné et l'a attrapé par l'épaule. Trop brutalement, s'est-il dit presque tout de suite. Mais le garçon n'a pas soufflé mot.

— Faut que tu surveilles Lars pendant mon absence. Ça au moins, ça devrait pas être trop difficile, a-t-il dit, avant de se tourner vers la porte où le petit garçon venait d'apparaître, plissant les yeux face au soleil.

Le père s'est passé la main sur le visage. Il a fermé les yeux un instant, puis il s'est raclé la gorge et s'est installé sur le siège. La carriole s'est mise en branle. Elle a franchi le portail en direction de la route. Petit à petit elle s'est éloignée, passant devant la boutique avant d'entamer le long chemin jusqu'au bourg.

Jon a emmené Lars dans sa barque. Ils ont descendu la rivière pour aller pêcher, c'était la seule idée qui lui était venue, et ils y ont passé plusieurs heures. Jamais je n'ai réussi à imaginer ce qu'ils ont pu se dire. Peut-être n'ont-ils pas parlé, d'ailleurs. Peut-être se sont-ils contentés de rester sur la berge à bonne distance l'un de l'autre, chacun avec sa canne à pêche, lançant et ramenant leurs lignes sans cesse, seuls au milieu des arbres et du vaste silence. Ça, j'arrive à l'imaginer.

À leur retour ils sont allés s'asseoir dans la grange avec leurs prises, et ils ont attendu. Pas une seule fois ils n'ont pénétré dans la maison. Tard dans la soirée ils ont entendu les sabots de Bramina dans les gravillons, et la carriole qui remontait la route. Ils se sont regardés. Ils seraient bien restés où ils étaient. Puis Jon s'est levé. Lars l'a imité, et ils se sont pris par la main pour la première fois depuis que les jumeaux étaient tout petits. Ils sont sortis dans la cour, et ils ont vu la carriole s'approcher. Ils ont entendu le souffle asthmatique de Bramina et les paroles apaisantes que leur père adressait à la jument : des paroles douces et gentilles qu'ils ne l'avaient jamais entendu dire à un être humain.

Leur mère était assise sur le siège dans sa robe bleue à fleurs jaunes, son sac sur les genoux. Elle leur souriait :

— Me voici de retour ; j'en suis bien contente.

Elle s'est levée, a posé un pied contre la roue et a sauté à terre.

— Où est Odd ? a-t-elle demandé.

Jon a jeté un œil à son père, mais celui-ci a évité son regard. Il s'est contenté de fixer le mur de la grange tout en mastiquant comme s'il avait la bouche pleine de tabac à chiquer. Il ne lui avait rien dit. Pendant le long trajet à travers la forêt ils avaient été tout seuls, et il ne lui avait rien dit.

L'enterrement a eu lieu trois jours plus tard. Mon père m'a demandé si je voulais qu'on y aille, et j'ai dit oui. C'était mon premier enterrement. Un frère de ma mère avait été tué par les Allemands en 1943, quand il avait voulu s'enfuir d'un poste de police quelque part sur la côte Sud, mais je n'étais pas là quand ça s'était passé, et je ne sais même pas s'il y a eu un enterrement.

De l'enterrement d'Odd il y a deux choses dont je me souviens. La première, c'est l'attitude de mon père et celle du père de Jon. Ils s'évitaient du regard. Mon père a bien pris la main du père de Jon en lui disant « toutes mes condoléances », expression qui m'a paru complètement incongrue et que personne d'autre n'a utilisée ce jour-là. Mais à aucun moment ils ne se sont regardés.

La deuxième, c'est le comportement de Lars. En sortant de l'église, quand nous nous sommes retrouvés devant la tombe ouverte, il s'est montré de plus en plus agité. Au moment où l'on s'apprêtait à descendre le petit cercueil à l'aide des cordes fixées sur les poignées, il est devenu comme fou. Il s'est débattu si fort que sa mère a été obligée de lui lâcher la main, et il a détalé entre les pierres tombales. Près de la sortie du cimetière il s'est mis à courir en rond devant le mur, tête baissée. Il n'a pas arrêté de courir en regardant fixement le sol. Comme son manège s'est prolongé, le pasteur s'est mis à parler de plus en plus lentement. Parmi l'assistance tout en noir, quelques-uns se sont retournés, puis d'autres les ont imités et à la fin tout le monde s'est détourné du pasteur pour regarder Lars et non pas le cercueil de son frère. Ça a duré un bon moment, puis un des voisins s'est enfin décidé à traverser la pelouse d'un pas ferme. Il s'est posté à la périphérie du cercle que décrivait Lars, et il l'a attrapé au moment où celui-ci est passé devant lui. Le voisin l'a soulevé, mais ses jambes ont continué de courir et il n'a pas dit un mot. J'ai jeté un œil vers Jon, qui a répondu à mon regard. J'ai discrètement secoué la tête, mais il n'a pas réagi. Il s'est contenté de me regarder droit dans les yeux sans ciller. Je me souviens d'avoir pensé que plus jamais nous n'irions voler des chevaux tous les deux, et ça m'a rendu encore plus triste que tout ce qui s'était passé au cimetière. Voilà ce dont je me souviens. Mais alors ça fait trois choses.

4

Le chalet d'alpage était entouré d'un terrain boisé qui nous appartenait aussi. Il y avait surtout des sapins, mais aussi des pins et quelques rares et minces bouleaux coincés entre les fûts plus sombres des conifères. La forêt partait de la rivière, où une croix en bois avait mystérieusement été clouée sur un pin qui poussait entre les gros rochers au bord de l'eau et se penchait au-dessus du courant. Elle encerclait ensuite le chalet et la cour, ainsi que la remise et le pré, et s'étendait jusqu'à la petite route où finissait notre terrain. La route n'était guère qu'un sentier gravillonné qui serpentait entre les arbres, avec des racines affleurant un peu partout. Parallèle à la rivière, côté est, elle montait jusqu'au pont en bois qu'il fallait traverser pour rejoindre le « centre » du village, avec la boutique et l'église. C'était cette route que nous avions prise fin juin à notre descente du car, et qu'il fallait emprunter quand un crétin avait laissé la barque sur l'autre rive. En général, le crétin, c'était moi. Autrement, nous longions la clôture du pré de Barkald et nous traversions la rivière à la rame.

Le matin, pendant plusieurs heures, le chalet était plongé dans l'ombre à cause de l'épaisse forêt au sud. Je ne sais pas si c'était pour ça que mon père avait décidé d'en finir avec ces satanés arbres. Il avait sans doute besoin d'ar-

gent, mais il ne me semblait pas être aux abois; j'avais cru
comprendre que si nous étions venus au bord de la rivière
pour la deuxième année consécutive, c'était parce qu'il lui
fallait du temps et du calme pour se préparer à une nouvelle vie, une autre vie que celle qu'il laissait derrière lui. Et
que cela devait se faire à un endroit différent, devant un
paysage qui n'était pas celui que nous regardions de notre
fenêtre à Oslo. Cette année est celle d'un choix décisif,
avait-il dit. Il m'avait permis de l'accompagner et j'avais
acquis un statut qui échappait à ma sœur; elle avait dû rester en ville avec ma mère, alors qu'elle avait trois ans de plus
que moi.

— De toute façon je n'ai pas envie de venir, je me retrou-
verais préposée à la vaisselle pendant que vous iriez à la
pêche. Je ne suis quand même pas idiote, avait-elle déclaré,
et elle n'avait pas tort.

J'ai cru comprendre ce que voulait dire mon père; plusieurs fois je l'ai entendu affirmer qu'il était incapable de
réfléchir en présence de femmes. Moi, ça ne m'a jamais
posé de problèmes. Bien au contraire.

Plus tard je me suis dit que, même aux yeux de mon père,
il y avait sans doute des femmes qui faisaient exception à la
règle.

Mais il parlait tout le temps de cette ombre; cette foutue
ombre, disait-il; c'était quand même l'été, merde, jurait-il.
Ça lui arrivait parfois quand ma mère n'était pas là; elle
avait grandi dans une ville où tout le monde jurait, et maintenant elle en avait assez, disait-elle. Personnellement je
trouvais qu'avec cette chaleur ce n'était pas plus mal
d'échapper au soleil pendant quelques heures, quand la
forêt s'immobilisait sous la lumière violente et dégageait
des parfums qui m'engourdissaient et me faisaient dormir
au milieu de la journée.

Quelles qu'en soient les raisons, sa décision était prise. La plupart des arbres allaient être abattus, et les grumes seraient acheminées à la rivière et flottées jusqu'à une scierie en Suède. Ce dernier détail me surprenait, car Barkald possédait une scierie à un kilomètre en aval. Mais c'était une petite scierie pour son usage personnel, et il ne pouvait sans doute pas accueillir tout le bois qu'on allait livrer. En outre, les Suédois refusaient d'acheter le bois sur pied, comme c'était la coutume. Ils ne paieraient que ce qui parviendrait à la scierie. Et ils ne se chargeraient pas non plus du flottage. Pas au mois de juillet, avaient-ils dit.

— Peut-être qu'on pourrait le faire en plusieurs fois, ai-je proposé. Une partie cette année, et le reste l'année prochaine ?

— C'est à moi de décider quand mon bois doit être coupé, a répondu mon père.

Jamais je n'avais prétendu le contraire ; bien sûr que c'était à lui de décider. Mais je n'ai pas relevé sa remarque. Pour moi, ça n'avait pas d'importance. En revanche, je me suis demandé s'il allait me permettre de l'aider, et si nous serions nombreux. C'était un travail dur, ça devait probablement être dangereux quand on n'y connaissait rien, et je croyais savoir que mon père n'avait jamais participé à une coupe de bois. Et je ne m'étais pas trompé ; aujourd'hui je m'en rends compte. Mais il avait une telle confiance en lui qu'il pouvait se lancer dans n'importe quelle entreprise avec la ferme conviction que tout allait bien se passer.

Mais d'abord il y avait les prés à faucher. Depuis l'orage il n'y avait pas eu de pluie, et en deux jours à peine l'herbe avait séché. Un beau matin, Barkald s'est pointé dans la cour, les cheveux bien peignés et les mains dans les poches, et il nous a demandé si par hasard nous étions partants pour manier la fourche pendant quelques jours. D'après lui, la dernière fenaison serait tombée à l'eau si on n'avait pas été là, mon père et moi. Moi surtout; c'est ce que laissaient entendre ses paroles flagorneuses. Mais j'étais assez grand pour comprendre qu'il cherchait seulement à recruter des faneurs bénévoles. Cela dit, c'était vrai : on avait bien bossé.

Debout sur le pas de la porte, mon père s'est caressé la barbe. Pendant un instant il a plissé les yeux face au soleil, puis il m'a jeté un regard oblique :

— Qu'en dis-tu, Trond T. ?

Mon second prénom est Tobias, mais je n'ai jamais voulu l'utiliser. Et le T. ne faisait son apparition que lorsque mon père adoptait un ton exagérément sérieux. Ainsi, il me signalait que j'avais le droit de rigoler un peu.

— Eh bien, ai-je répondu, ce n'est peut-être pas impossible.

— Mais on a aussi pas mal de choses à faire, a dit mon père.

— Ça, c'est vrai. On a des travaux qu'on voudrait finir, c'est sûr, mais on pourrait peut-être se libérer un jour ou deux. Ce n'est pas impossible.

— Pas impossible, mais pas simple non plus.

— Pas simple du tout, ça il faut bien le dire. Mais si on faisait un échange, ça pourrait faciliter les choses.

Mon père m'a regardé d'un air intrigué :

— Tu as raison. Un échange, ça ne serait pas une mauvaise idée.

— Un cheval, par exemple. Avec un harnachement complet. Pendant quelques jours, la semaine prochaine ou la semaine d'après.

Mon père a eu un large sourire :

— Voilà! Voilà exactement ce qu'il nous faut. Ça vous convient, Barkald?

L'air désorienté, essayant de suivre les méandres de nos propos, Barkald n'avait pas bougé. Maintenant il était piégé. Il s'est passé la main dans les cheveux :

— Bien sûr. Ça pourrait se faire. Vous n'avez qu'à prendre Brona.

Je voyais bien qu'il mourait d'envie de nous demander pourquoi on avait besoin d'un cheval. Mais il se sentait hors du coup, il n'était plus maître de la situation et il avait peur de se rendre ridicule.

Barkald a dit qu'il commencerait à faucher le lendemain, quand la rosée se serait évaporée. Nous n'avions qu'à nous présenter au pré. Visiblement heureux de pouvoir s'en aller, il a levé la main pour nous saluer, puis il s'est dirigé vers la rivière et il est monté dans sa barque.

— C'est presque génial, comment tu as eu cette idée? a dit mon père, les mains sur les hanches.

Il ne savait pas que j'avais longuement réfléchi au transport du bois. Et puisque je ne l'avais pas entendu parler de cheval, j'ai tenté le coup ; je savais que tout seuls on n'arriverait jamais à traîner les grumes jusqu'à la rivière.

Je me suis contenté de hausser les épaules et de lui sourire. Il m'a pris par les cheveux et m'a doucement secoué la tête :

— T'es pas bête, toi!

Il avait raison. C'était ce que j'avais toujours pensé : je n'étais pas bête.

Quatre jours étaient passés depuis l'enterrement d'Odd, et je n'avais pas revu Jon. Ça me laissait un sentiment étrange. Je me réveillais le matin en guettant ses pas dans la cour, j'étais à l'affût du grincement des rames et du léger choc de sa barque quand il accostait contre les pierres de la grève. Mais chaque matin je n'entendais que le silence, à part le chant des oiseaux et le vent dans les cimes et les cloches des vaches qu'on emmenait paître sur les pentes verdoyantes derrière notre chalet ; elles y restaient jusqu'à cinq heures, quand les vachères montaient dans les prés et les ramenaient en chantant dans leurs enclos plus au sud ou plus au nord. J'étais allongé sur ma couchette devant la fenêtre ouverte, j'écoutais le tintement métallique et ténu qui changeait selon la configuration du terrain, et je n'aurais pas voulu être ailleurs que dans ce chalet avec mon père, malgré ce qui s'était passé. Et quand je décidais enfin de me lever et découvrais que Jon n'était pas là, j'éprouvais un vague soulagement, et j'en avais honte. C'était comme un mal de gorge, et ça persistait souvent pendant plusieurs heures avant de disparaître.

Je ne le voyais pas non plus près de la rivière, ni sur les berges avec sa canne à pêche ni en amont ou en aval dans sa barque. Mon père ne me demandait jamais si nous nous étions vus, et je ne cherchais pas non plus à savoir si lui avait de ses nouvelles. C'était comme ça.

Ce jour-là nous avons pris notre petit déjeuner et enfilé nos vêtements de travail, puis nous sommes descendus jusqu'à la vieille barque qu'on nous avait vendue avec le chalet, et nous avons traversé la rivière à la rame.

Il faisait beau. J'étais assis sur le dernier banc de nage, les yeux fermés, face au soleil et au visage familier de mon père. Il ramait à coups fermes. Je me demandais ce qu'on pouvait bien ressentir à mourir si jeune. À perdre la vie, comme lorsqu'on tient un œuf dans la main, qu'on le lâche et qu'il s'écrase au sol. Pourtant je savais qu'on ne ressentait rien du tout. Quand on est mort, on est mort. Mais dans le bref instant qui précède ? Est-ce qu'on savait, est-ce qu'on comprenait que c'était fini ? Et qu'est-ce qu'on ressentait à ce moment-là ? J'ai deviné un accès étroit, une porte entrouverte, je m'y suis glissé, car je voulais y pénétrer, et la fente brillait comme de l'or à cause du soleil contre mes paupières. Et soudain je me suis retrouvé à l'intérieur et j'ai dû y rester un bref instant. Mais ça ne m'a pas fait peur du tout, ça m'a seulement rempli de tristesse et d'étonnement à cause du silence qui y régnait. Et ce sentiment a persisté quand j'ai ouvert les yeux. J'ai promené mon regard sur l'eau, jusqu'à l'autre rive, mais il ne m'a pas quitté. Le visage de mon père m'est apparu comme de loin. J'ai cligné plusieurs fois des yeux en respirant à fond, et j'ai dû trembler légèrement, car il m'a souri d'un air intrigué :

— Ça va, chef ?

— Oui, oui, ai-je répondu après un bref silence.

Mais quand nous sommes remontés le long de la clôture après avoir amarré le bateau, c'était toujours là au fond de moi : un petit reste, une tache jaune dont je n'étais pas certain de pouvoir me débarrasser.

Quand nous sommes arrivés dans le pré, il y avait déjà du monde. Debout à côté de la faucheuse mécanique, les rênes du cheval à la main, Barkald s'apprêtait à s'installer sur le siège. Je reconnaissais le cheval, j'avais encore mal à l'entrejambe après l'avoir monté. Il y avait aussi deux hommes du village et une femme que je ne connaissais pas, mais qui n'avait pas l'air d'une paysanne ; c'était peut-être une parente de Barkald. Madame Barkald causait avec la mère de Jon. Toutes les deux avaient sommairement remonté leurs cheveux et portaient de vieilles robes délavées en cotonnade à fleurs qui soulignaient leurs formes. Elles étaient jambes nues dans des bottes qui leur arrivaient à mi-mollet et elles tenaient à la main des râteaux dont les manches étaient deux fois plus grands qu'elles. Leurs voix nous parvenaient jusque sur la route dans l'air du matin. Ici dans le pré, la mère de Jon n'était pas la même que chez elle, dans sa petite maison exiguë ; c'était si frappant que je l'ai remarqué tout de suite, et il m'a semblé évident que mon père l'avait vu aussi. Involontairement, nous avons échangé un regard pour vérifier si l'autre s'en était aperçu. Je me suis empourpré ; j'étais à la fois excité et mal à l'aise, mais j'ignorais si c'était à cause des pensées qui m'étaient venues ou parce que je m'étais rendu compte que mon père avait eu les mêmes. Quand il m'a vu rougir, il a eu un petit rire étouffé, mais pas méprisant. Ça, je dois le reconnaître. Il s'est contenté de rire. Presque avec enthousiasme.

Nous avons traversé le pré jusqu'à la faucheuse pour saluer Barkald et sa femme. La mère de Jon nous a pris la main pour nous remercier d'être venus à l'enterrement d'Odd. Elle avait une mine grave et les yeux un peu enflés, mais elle ne semblait pas effondrée. Elle était joliment bronzée, sa robe était bleue, ses yeux bleus étaient brillants, et elle avait juste quelques années de moins que ma propre mère. Elle paraissait lumineuse, et j'avais l'impression de la voir pour la première fois. Je me suis demandé si c'était à cause de ce qui était arrivé, si ce genre d'événement vous rendait plus visible, plus éclatant. J'ai dû baisser les yeux et fixer l'herbe pour éviter son regard. J'ai fini par me diriger vers les outils entreposés contre le tas de piquets. J'ai pris une fourche, je me suis appuyé dessus et j'ai regardé dans le vide en attendant que Barkald se décide à démarrer. Mon père est resté un moment à bavarder avec eux, puis il m'a rejoint. Ramassant une fourche qui traînait dans l'herbe entre deux bobines de fil de fer, il l'a plantée dans le sol et il a attendu comme moi. Nous nous évitions du regard. Installé sur le siège de la faucheuse, Barkald a fait claquer sa langue, puis il a abaissé les lames, et le cheval s'est mis en mouvement.

Le pré était divisé en quatre sections, correspondant au nombre de claies que nous devions monter. Barkald fauchait en ligne droite au milieu de la première section. À quelques mètres de la bordure du pré, nous avons enfoncé un gros pieu et nous y avons fixé solidement l'extrémité du fil de fer. Mon travail consistait à dérouler celui-ci en veillant à ce qu'il reste tendu. Je devais marcher à reculons dans la bande fauchée par Barkald en tenant la bobine par les deux manches luisants d'usure. C'était difficile ; au bout de quelques mètres seulement j'ai commencé à avoir mal dans les poignets et dans les épaules. Il y avait trois tâches à accomplir en même temps, la bobine était lourde et mes muscles n'étaient pas encore échauffés. Au fur et à mesure que je déroulais le fil, la bobine se faisait plus légère, mais moi j'étais de plus en plus fatigué. Tout semblait me résister physiquement et ça m'a énervé, il n'était pas question de passer pour un gringalet de la ville, pas sous le regard bleu et éblouissant de la mère de Jon. C'était à moi de décider si j'avais mal. J'ai réussi à cantonner la douleur à l'intérieur de mon corps pour éviter qu'elle ne s'affiche sur mon visage ; tenant la bobine à bout de bras j'ai continué à dévider le fil et je suis arrivé jusqu'au bout du terrain. Le fil était parfaitement tendu. Avec des gestes laborieux j'ai posé la bobine dans l'herbe rase, puis je me suis péniblement redressé. Baissant les épaules, j'ai glissé mes mains dans mes poches. J'avais la nuque sciée. D'un pas lent, j'ai rejoint les autres. Au moment où je suis passé devant mon père, il a négligemment levé le bras pour me donner une tape dans le dos.

— Tu t'es bien débrouillé, a-t-il dit à voix basse.

Et ça a suffi. La douleur s'est évanouie, et j'étais prêt à recommencer.

Barkald avait fini de faucher la première section du pré et s'était déjà attaqué à la suivante. Debout à côté du cheval, il fumait une cigarette en attendant qu'on ait terminé de monter la claie. C'était lui le chef. D'après mon père il était du genre à préférer travailler assis et se reposer debout. À condition que ça ne dure pas trop longtemps, car du coup il lui fallait de nouveau s'asseoir. Si tant est qu'il ait vraiment eu besoin de se reposer, ce dont je n'étais pas persuadé. Conduire ce cheval n'était pas vraiment éreintant, l'animal était tellement habitué qu'il aurait pu faire ça les yeux fermés, il s'ennuyait et voulait continuer, mais il n'en était pas question, car Barkald était un homme méthodique et il n'avait aucune intention de faucher le pré en une seule fois. Il fallait faire les choses dans l'ordre. Pourtant le soleil brillait dans un ciel sans nuages et le beau temps allait manifestement durer. La journée était si avancée que la transpiration commençait à mouiller le dos de nos chemises, et chaque fois qu'il fallait soulever quelque chose de lourd, nous avions le front qui dégoulinait. Le soleil était au zénith et il n'y avait pas d'ombre dans la vallée, les méandres de la rivière scintillaient et nous entendions le grondement des rapides sous le pont près de la boutique. J'ai ramassé un tas de piquets que j'ai portés jusqu'au pré, et je les ai répartis à intervalles réguliers le long du fil de fer. Mon père et un des hommes du village ont pris des mesures et ont creusé des trous à la pioche tous les deux mètres, tantôt à gauche, tantôt à droite du fil. Il y en avait trente-deux en tout. Mon père était en maillot de corps maintenant, et la blancheur du tissu se détachait sur sa peau tannée et contrastait avec ses cheveux noirs ; ses biceps luisaient quand il maniait la lourde pioche qui s'enfonçait avec un bruit de succion dans la terre humide. Il bougeait comme une machine, mon père, il était heureux, mon père, et la mère de Jon marchait derrière lui et plantait les piquets dans les trous, jusqu'à l'endroit où était posée la bobine et où il fallait enfoncer un deuxième pieu pour arrimer la claie. Je ne pouvais m'empêcher de les fixer des yeux.

À un moment elle s'est arrêtée, et elle a posé son piquet dans l'herbe. Elle s'est éloignée de quelques pas et elle est restée le dos tourné à contempler la rivière. Ses épaules tremblaient. Mon père s'est redressé et il est resté immobile, tenant le manche de la pioche dans ses mains protégées par des gants. Elle a fini par se retourner ; son visage humide paraissait rayonner, et mon père lui a souri en hochant la tête. Sa mèche lui est tombée dans les yeux. Il a soulevé sa pioche. Elle lui a adressé un sourire grave, puis elle est revenue ramasser son piquet. En tournoyant, elle l'a planté dans le trou de toutes ses forces. Et ils ont continué au même rythme qu'avant.

Ni Jon ni son père n'étaient là. Pourtant j'étais persuadé qu'ils devaient venir. L'année précédente ils étaient venus, mais cette année ils avaient peut-être d'autres occupations, ou alors ils n'en avaient pas eu le courage. Que sa mère ait pu se résoudre à venir m'avait d'abord surpris, mais à force de la voir évoluer avec nous j'ai fini par ne plus y penser. Peut-être mon père allait-il leur proposer à tous les trois de venir nous aider à transporter le bois. Ce n'était pas impensable, le père de Jon avait une longue expérience de ce genre de travail, mais je me demandais comment ça allait se passer. Est-ce qu'ils allaient continuer à s'éviter du regard ?

Une fois debout, les piquets formaient une ligne dentelée à travers le pré. Maintenant il fallait y fixer le fil de fer à hauteur de cuisse en alternant les nœuds à droite et à gauche pour le garder bien droit. Les deux hommes du village s'en sont chargés ; l'un était grand, l'autre était petit, mais ils semblaient complémentaires, ils étaient habitués à faire ces gestes et travaillaient avec rapidité et efficacité, et le fil s'est tendu comme une corde de guitare jusqu'au dernier piquet. Puis ils l'ont solidement fixé au pieu enfoncé par Barkald, et nous nous sommes emparés des râteaux. Déployés en éventail, nous avons commencé à ramener l'herbe vers la claie, et nous avons tout de suite compris pourquoi les manches étaient si longs. Ça nous permettait de couvrir un maximum de terrain, si bien qu'à la fin, pas un brin d'herbe n'a été oublié. Mais l'incessant va-et-vient du râteau était douloureux pour les paumes, et nous étions obligés d'enfiler des gants pour éviter les ampoules. Et on a commencé à garnir le premier fil. Certains soulevaient l'herbe avec leurs râteaux, qu'ils maniaient avec une grande précision ; d'autres, moins exercés, se servaient de leurs mains, comme mon père et moi. Mais on ne se débrouillait pas trop mal. On a fini par avoir les bras tout verts, le fil s'est rempli et on en a tendu un deuxième qui s'est rempli aussi, puis un troisième, et jusqu'à cinq fils les uns au-dessus des autres. La dernière couche d'herbe, plus fine que les autres, formait un auvent de chaque côté pour permettre à la pluie de s'écouler sans mouiller l'herbe en dessous. Ainsi la claie pouvait rester là pendant des mois sans que le foin ne soit abîmé. D'après Barkald, si le travail était bien fait, c'était presque aussi efficace que de le rentrer au sec dans la grange. Et autant que j'ai pu en juger, tout avait été fait dans les règles. Éclairée par le soleil, la claie jetait une grande ombre et avait l'air de faire partie du paysage depuis toujours, elle épousait chaque anfractuosité du terrain et n'était que pure forme. Une forme originelle. Même si, à l'époque, cette expression ne m'est pas venue à l'esprit. Mais j'avais du plaisir à la regarder. Il m'arrive encore aujourd'hui d'éprouver ce même sentiment, quand je découvre la photo d'une claie dans un livre. Mais tout ça n'existe plus. Ici, plus personne ne pratique les vieilles méthodes ; aujourd'hui chaque homme est seul sur son tracteur, on fait sécher le foin en meules, on utilise des faneuses mécaniques et des presses à ballots et on se retrouve avec du fourrage ensilé et qui pue, emballé dans du plastique blanc. Et ma joie cède devant le sentiment du temps qui passe. Tout cela est si loin, et je m'aperçois soudain que je suis vieux.

5

Au début, je ne l'ai pas reconnu. En passant sur le chemin avec Lyra je l'avais salué distraitement, sans me préoc-
cuper de lui. Pourquoi l'aurais-je fait? Debout devant son
chalet, il était en train d'empiler son bois sous l'auvent, tandis que je me promenais en pensant à autre chose. Même
quand il s'est présenté, je n'ai pas réagi. Mais cette nuit, en
retournant me coucher, j'ai commencé à me poser des
questions. Le visage de cet homme, tel qu'il m'était apparu
dans la lumière de la lampe de poche, me disait quelque
chose. Et maintenant j'en suis sûr. C'est bien Lars, même si
la dernière fois que je l'ai vu il avait dix ans et qu'il en a
maintenant plus de soixante. Dans un roman, ce genre de
choses m'aurait certainement énervé. J'ai beaucoup lu, surtout ces dernières années, mais avant aussi bien sûr, et j'ai
réfléchi à ce que j'ai lu. Et dans une œuvre littéraire, de
telles coïncidences m'ont toujours paru tirées par les cheveux. J'ai du mal à y croire, surtout dans un roman
moderne. Chez Dickens, à la rigueur, ça pourrait passer,
mais en lisant Dickens vous découvrez le chant d'un monde
disparu. Tout s'y résout comme dans une équation; l'équilibre perturbé y est restauré pour permettre aux dieux
de retrouver le sourire. Ça peut servir de consolation ou
de protestation contre un monde sorti de ses gonds. Mais

les temps ont changé, le monde où je vis est différent et j'ai peu d'estime pour les gens qui prétendent que notre existence est gouvernée par le destin. Ils geignent, ils se tordent les mains et implorent notre pitié. Je considère que nous créons nous-mêmes notre vie. J'ai en tout cas créé la mienne, pour ce qu'elle vaut, et j'en assume la pleine et entière responsabilité. Mais quand même : parmi tous les endroits où j'aurais pu m'installer, c'est ici que j'ai atterri.

Ce n'est pas que ça change quelque chose. Ça ne change rien au projet que j'avais en m'installant ici, ça ne change rien au sentiment que j'éprouve en vivant ici, tout est comme avant, je suis sûr qu'il ne m'a pas reconnu, et je ne veux surtout pas qu'il en soit autrement. Et pourtant. Ça ne me laisse pas indifférent.

En m'installant ici, mon projet était simple. C'était ici que j'allais passer mes dernières années. Il m'en reste combien ? Je n'ai pas le temps d'y réfléchir. Ici, je prends chaque jour comme il vient. Et le premier problème à résoudre, c'est de savoir comment je vais me débrouiller cet hiver s'il y a beaucoup de neige. D'ici jusqu'au chalet de Lars il y a deux cents mètres, et ensuite il y en a encore cinquante avant d'atteindre la nationale. À cause de mon dos, je ne pourrai jamais déblayer tout ce chemin à la main. Même avec un dos en bon état, ça aurait sans doute été impossible. Je n'aurais eu le temps de rien faire d'autre.

Déblayer la neige, c'est important. Avoir une bonne batterie dans la voiture, c'est important, surtout s'il se met à faire vraiment froid. Le village où se trouve la coopérative est à six kilomètres. Avoir suffisamment de bois de chauffage, c'est important. Il y a deux convecteurs dans la maison, mais ils sont vieux, et ils doivent sans doute consommer beaucoup d'électricité et produire peu de chaleur. J'aurais pu m'acheter deux radiateurs à bain d'huile, deux radiateurs modernes qu'il suffirait de brancher sur une prise et de déplacer selon les besoins, mais je suis décidé à me passer de toute chaleur que je ne suis pas capable de produire moi-même. Heureusement j'ai découvert une grosse pile de vieux bois de bouleau dans la remise en arrivant, mais ce ne sera pas suffisant, le bois est si sec qu'il brûlera en un rien de temps. Il y a quelques jours j'ai donc abattu un sapin mort avec la tronçonneuse que je viens d'acheter. Il me faut maintenant le débiter en bûches d'une taille convenable et les empiler sur le vieux bois avant qu'il ne soit trop tard. J'ai déjà consommé une bonne partie du bouleau.

La tronçonneuse est une Jonsered. Je n'ai pas de préférence particulière pour cette marque, mais ici tout le monde utilise des Jonsered ; d'ailleurs, le vendeur du comptoir agricole m'a dit qu'ils n'assuraient pas de service après-vente pour d'autres marques si jamais je me pointais avec une chaîne cassée. Elle n'est pas neuve, mais elle vient d'être révisée et la chaîne a été remplacée. Et l'homme n'était manifestement pas très ouvert à la discussion. Donc, ici c'est le royaume de Jonsered. Et de Volvo. Nulle part je n'ai vu autant de Volvo, que ce soient des modèles haut de gamme récents ou des vieilles Amazone. Ces dernières sont toutefois les plus nombreuses. Et en 1999 j'ai même vu une PV devant le bureau de poste. Toutes ces Volvo, ça doit vouloir dire quelque chose, mais je ne sais pas quoi exactement, à part que la Suède n'est pas loin et qu'il est facile de trouver des pièces détachées. C'est peut-être aussi simple que ça.

Je m'installe au volant et je démarre. Je descends le chemin qui passe devant le chalet de Lars, je franchis le pont, je traverse la forêt et j'arrive sur la nationale. Entre les arbres, j'aperçois le lac étincelant à ma droite, et je débouche sur une plaine dégagée. La route passe entre des champs jaunes moissonnés depuis longtemps. Des bandes de corneilles les survolent en silence dans la lumière du soleil. À l'autre bout des champs, au bord d'une rivière plus grande que celle que j'aperçois de ma fenêtre, mais qui se jette dans le même lac, il y a une scierie. La rivière servait autrefois au flottage du bois, mais c'était il y a longtemps; aujourd'hui cette scierie aurait pu se trouver n'importe où, car le transport du bois se fait par la route. Ce n'est d'ailleurs pas sans danger de croiser dans un tournant les camions avec leurs remorques lourdement chargées. Les chauffeurs conduisent comme des fous et se servent du klaxon au lieu de freiner. Il y a quelques semaines je me suis retrouvé sur le bas-côté; l'énorme convoi fonçait sur moi en mordant largement sur ma file et j'ai dû donner un grand coup de volant pour l'éviter. Peut-être ai-je fermé les yeux un instant, car j'ai cru que j'allais mourir, mais en fin de compte il n'y a pas eu de dégâts en dehors de mon clignotant droit qui s'est brisé contre une souche. Je suis resté longtemps sans bouger, le front contre le volant. La nuit venait de tomber, le moteur était coupé, mais les phares étaient restés allumés, et en levant la tête j'ai vu un lynx violemment éclairé qui traversait la route à quinze mètres de ma voiture. C'était la première fois que j'en voyais un, mais j'ai tout de suite reconnu l'animal. Autour de nous c'était le silence total. Le lynx n'a regardé ni à droite ni à gauche. Il s'est contenté de marcher. Souplement, sans mouvements superflus, indifférent à tout. Je crois que je ne me suis jamais senti aussi vivant que lorsque j'ai réussi à remonter sur la chaussée et à reprendre la route. Tendu et vibrant, j'avais la conscience à fleur de peau.

Le lendemain, à la boutique, j'ai parlé du lynx. C'était

sûrement un chien, m'a-t-on dit. Personne ne m'a cru. Parmi les gens que j'ai rencontrés ce jour-là, personne n'avait jamais vu de lynx. Pourquoi aurais-je eu plus de chance qu'eux, alors que j'habite le village depuis un mois seulement ? À leur place j'aurais sans doute eu la même réaction. Mais je suis sûr de ce que j'ai vu, l'image du gros chat s'est imprimée en moi et je peux la faire réapparaître quand je veux. Et j'espère bien le revoir un jour, ou plutôt une nuit. Ça me ferait plaisir.

Je me gare devant la station de service Statoil. Il y a cette histoire de clignotant. Je n'ai pas encore changé le verre, ni l'ampoule, d'ailleurs ; je me suis contenté de rouler sans. Mais maintenant il commence à faire nuit très tôt, et d'ailleurs c'est interdit. Alors je me dirige vers l'atelier à la recherche du garagiste. Il passe la tête par la porte coulissante et me dit qu'il peut me changer l'ampoule tout de suite. Pour le verre, il tâchera d'en trouver un dans une casse.

— C'est pas la peine de faire des frais sur une vieille bagnole, dit-il.

Bien sûr, il a raison. La voiture a dix ans ; c'est un break Nissan. J'aurais pu m'acheter une voiture plus récente, j'en ai les moyens, mais il y avait déjà l'achat de la maison et j'ai eu peur d'écorner un peu trop mes finances, si bien que j'y ai renoncé. En réalité j'avais songé à un 4 × 4, ça aurait été pratique ici, mais je me suis dit que c'étaient des voitures de frimeurs et de nouveaux riches et j'ai fini par opter pour une traction arrière, comme d'habitude. Quelques pépins m'ont déjà amené chez le garagiste, notamment une dynamo un peu fatiguée, et à chaque fois il me sort la même phrase et commande des pièces détachées dans la même casse. En plus j'ai l'impression qu'il ne prend pas assez cher. Mais il siffle en travaillant, sa radio est réglée en permanence sur une station d'infos en continu, et sa politique de prix semble tout à fait consciente. Son amabilité et sa serviabilité me perturbent. Je m'attendais à plus de résistance, d'autant que je ne roule pas en Volvo. Mais peut-être qu'il n'est pas d'ici.

Je lui laisse la voiture et vais à pied jusqu'à la boutique, il suffit de passer devant l'église et de traverser au carrefour. C'est tout à fait inhabituel. J'ai remarqué que les gens d'ici prennent toujours leur voiture, quelles que soient les distances. La coopérative est à cent mètres, mais je suis le seul à marcher sur le trottoir qui borde le parking. J'ai l'impression de me faire remarquer et j'éprouve un soulagement en franchissant la porte.

Je salue à droite et à gauche, les gens se sont habitués à moi et savent que je suis installé définitivement ici, je ne fais pas partie des touristes qui débarquent avec leurs grosses voitures en été et à Pâques pour aller à la pêche dans la journée et passer leurs soirées à jouer au poker et boire du whisky dans leurs chalets. Il a fallu un peu de temps, mais petit à petit ils ont commencé à me poser des questions quand on faisait la queue devant la caisse, et maintenant ils savent tous qui je suis et où j'habite. Ils savent quelles professions j'ai exercées, ils savent l'âge que j'ai, ils savent que ma femme est morte il y a trois ans dans un accident qui a failli me tuer aussi, ils savent qu'elle n'était pas ma première femme et que j'ai deux enfants adultes d'un premier mariage, ils savent que j'ai des petits-enfants. Tout ça, je le leur ai raconté : à la mort de ma femme je n'ai pas voulu continuer comme avant, j'ai pris ma retraite et je me suis mis à la recherche d'un autre endroit où habiter, et j'ai été si heureux de trouver la maison où je vis maintenant. Ça leur fait plaisir, bien qu'ils me disent tous qu'il aurait suffi de me renseigner auprès de n'importe qui au village pour apprendre dans quel état était la maison ; beaucoup de gens s'étaient montrés intéressés, car elle était bien située, mais ils avaient fini par être découragés devant l'énormité des travaux. Heureusement que je n'en savais rien, dis-je alors, sinon je ne l'aurais pas achetée et je ne me serais pas rendu compte qu'on pouvait très bien y vivre à condition de ne pas se montrer trop exigeant et de faire les travaux petit à petit. Ça me convient parfaitement, dis-je ; j'ai tout mon temps et nulle part où aller.

Les gens aiment bien qu'on leur raconte des choses avec modestie et sur le ton de la confidence, mais sans trop se livrer. Ainsi ils pensent vous connaître, mais ce n'est pas vrai. Ils connaissent des choses sur vous, ils ont appris certains détails, mais ils ne savent rien de vos sentiments ni de vos pensées, ils ignorent comment les événements de votre vie et les décisions que vous avez été amené à prendre ont fait de vous celui que vous êtes. Ils se contentent de vous attribuer leurs propres sentiments et leurs propres pensées ; avec leurs suppositions, ils reconstruisent une vie qui n'a pas grand-chose à voir avec la vôtre. Et vous êtes en sécurité. Si vous voulez rester à l'écart, personne ne peut vous atteindre. Il suffit de sourire poliment et de ne pas céder à la paranoïa ; malgré vos contorsions ils parleront de vous dans votre dos, vous ne pourrez pas l'éviter. Et vous feriez sans doute pareil.

Mes courses se résument à peu de chose : du pain et quelques charcuteries. C'est vite fait. Je suis frappé de voir à quel point mon panier est vide, à quel point mes besoins se réduisent depuis que je suis seul. Saisi d'un absurde accès de mélancolie je sors mon portefeuille, et en comptant mon argent je sens le regard de la caissière. *Le veuf*, c'est ça qu'elle voit. Ils ne comprennent rien, et ce n'est pas plus mal.

— Tenez, voilà, dit-elle d'une voix douce et pleine de compassion en me rendant la monnaie.

Et je lui réponds « merci ». Que diable, il ne manquerait plus que je fonde en larmes. Je m'empresse de sortir avec mon sac et de retourner à la station-service. J'ai de la chance, me dis-je. Ils ne comprennent rien.

Il a changé l'ampoule du clignotant. Je pose le sac des courses sur le siège du passager, contourne les pompes à essence et me dirige vers le bureau. Sa femme me sourit derrière le comptoir.

— Bonjour, dit-elle.

— Bonjour. Je vous dois une ampoule. C'est combien ?

— Ça peut attendre. Vous voulez un café ? Olav fait une petite pause.

Elle indique la porte entrouverte de l'arrière-boutique. Je peux difficilement refuser. D'un pas hésitant je m'approche de la porte et jette un œil à l'intérieur. Olav, le garagiste, est assis devant un écran où défilent des colonnes de chiffres lumineux. Apparemment, aucun chiffre n'est rouge. Il tient une tasse de café fumant dans une main et une barre chocolatée dans l'autre. Il a certainement vingt ans de moins que moi, mais c'est toujours avec surprise que je me rends compte que des hommes mûrs sont en fait loin d'avoir mon âge.

— Asseyez-vous, reposez-vous un peu, dit-il en versant du café dans un gobelet en plastique qu'il pose sur la table devant une chaise vide.

Il écarte les bras et se renverse lourdement sur la sienne. S'il s'est levé à la même heure que moi, ce que je suppose, ça fait un moment qu'il travaille, et il doit sûrement être fatigué. Je m'assieds.

— Comment ça se passe à Hautmont ? demande-t-il. Ça y est, les travaux avancent ?

L'ancienne ferme que j'habite s'appelle Hautmont, car elle est située sur une hauteur, avec vue sur le lac.

— Je suis allé deux fois visiter la maison, poursuit-il. Je me suis demandé si j'allais faire une offre. Ça aurait été pas mal comme endroit pour monter un atelier, mais il y avait tellement de travaux que j'y ai renoncé. J'aime bien visser des boulons, mais je déteste la menuiserie. Vous, c'est peut-être le contraire ?

Je regarde mes mains, et lui aussi. Ce ne sont pas des mains de travailleur manuel.

— Pas vraiment, dis-je. Je ne suis doué ni pour l'un ni pour l'autre, mais en prenant mon temps je finirai bien par arriver à remettre la maison en état. Cela dit, j'aurai peut-être besoin d'un peu d'aide.

Il y a une chose que je n'ai jamais racontée à personne : quand je me lance dans des travaux manuels dont la difficulté dépasse celle des tâches quotidiennes, je ferme les yeux et j'essaie d'imaginer la façon dont mon père s'y serait pris. J'essaie de revoir ses gestes, et je les imite jusqu'à trouver le bon rythme. Et alors l'ouvrage se déploie devant moi et devient lisible. C'est ce que j'ai toujours fait, d'aussi loin que je m'en souvienne, comme si le secret était dans l'attitude du corps, dans une certaine précision des gestes à trouver dès le départ. Comme pour un saut en longueur, quand il faut bien calculer sa foulée pour arriver sur la planche d'appel et prendre son élan. Tout dépend de l'économie interne de chaque tâche ; les gestes doivent s'enchaîner dans un ordre défini selon chaque type d'activité, la forme du travail préexiste en quelque sorte à son accomplissement et elle est dévoilée et rendue déchiffrable par les mouvements du corps. Celui qui déchiffre, c'est moi, et celui dont je lis les gestes est un homme de quarante ans à peine : l'âge de mon père quand je l'ai vu pour la dernière fois, à quinze ans, avant qu'il ne disparaisse de ma vie. Pour moi, il aura toujours cet âge-là.

Mais tout ça, j'aurais du mal à l'expliquer à ce sympathique garagiste, et je me contente d'une phrase banale :

— Mon père était doué pour les travaux manuels. Il m'a appris pas mal de choses.

— Les pères, c'est bien utile. Le mien était instituteur. Là-bas, à Oslo. Il m'a appris à aimer les livres, mais pour le reste, j'ai dû me débrouiller. Il n'était pas doué pour les travaux manuels ; ça, non. Mais c'était un homme bien. On a toujours pu se parler. Il est mort il y a quinze jours.

— Je ne savais pas. Je suis désolé.

— Vous ne pouviez pas savoir. Il était malade depuis longtemps. Maintenant, au moins, il ne souffre plus. Mais il me manque. Ça, oui.

Il reste un moment silencieux, et je vois bien que son père lui manque, d'une manière simple et évidente. J'aurais bien voulu que pour moi les choses soient aussi simples : qu'un père puisse seulement vous manquer.

Je me lève :

— Il faut que j'y aille. La maison m'attend, il faut que j'y retourne. C'est bientôt l'hiver.

— Eh oui, dit-il avec un sourire. Et s'il y a quelque chose, n'hésitez pas à nous le dire. On est toujours là.

— Il y a quelque chose, en effet. Le chemin jusqu'à la maison. Il est assez long. Quand il y aura de la neige j'aurai du mal à le déblayer à la main. Et je n'ai pas de tracteur.

— Bien sûr.

Il note un nom et un numéro de téléphone sur un post-it jaune :

— Vous n'avez qu'à appeler celui-là. Parmi vos voisins

proches, il est le seul à avoir un tracteur. Il déblaie son propre chemin, et il pourra sûrement s'occuper aussi du vôtre. Il a une ferme, et il ne bouge pas de chez lui ; il ne fait que descendre jusqu'à la route et remonter. Ça ne devrait pas poser de problèmes, mais je suppose qu'il faudra lui filer un peu de sous. Un billet de cinquante à chaque fois, ça devrait suffire.

— Ça va de soi. Je le paierai avec plaisir. Et merci pour votre aide, et pour le café.

Je retourne au bureau régler l'ampoule, et la femme du garagiste me sourit en me disant au revoir. Puis je sors, je m'installe au volant et je rentre chez moi. Dans l'immédiat, le post-it jaune collé dans mon portefeuille me simplifie l'existence. Soulagé, je me dis qu'il suffit de pas grand-chose. Maintenant l'hiver peut venir.

De retour à Hautmont je me gare devant l'arbre de la cour, un très vieux bouleau creux qui va finir par tomber si je ne m'en occupe pas. Je pose mes courses dans la cuisine et mets en marche la cafetière électrique. Puis je vais chercher la tronçonneuse dans la remise, et je prends ma petite lime ronde et le casque antibruit qu'on m'a vendu avec l'engin. Dans le garage je récupère de l'essence et un bidon d'huile et je pose mon matériel sur la pierre plate devant la porte, sous le soleil qui chauffe à peine alors qu'il est déjà midi. Je rentre dans la cuisine, prends une bouteille thermos et attends devant le plan de travail que le café ait fini de passer. Je remplis le thermos de café brûlant, j'enfile des vêtements de travail bien chauds, je ressors et je m'installe sur la pierre plate. Je commence à affûter méthodiquement la tronçonneuse avec la lime, et je ne m'arrête que lorsque chaque dent jette des étincelles. Je ne sais pas où j'ai appris à faire ça ; peut-être ai-je vu ces gestes dans un film, un documentaire sur les grandes forêts ou une fiction se déroulant dans le milieu des forestiers. Quand on a une bonne mémoire on peut apprendre beaucoup de choses au cinéma, en regardant travailler les gens, en les voyant effectuer les gestes qu'ils font depuis toujours. Mais dans les films modernes, il est rare qu'on montre le travail. Maintenant, au cinéma, il n'y a plus que des idées. Des idées bien minces et quelque chose qu'on voudrait faire passer pour de l'humour. Tout est censé être si drôle. Mais j'ai horreur de me laisser divertir, je n'ai plus assez de temps pour ça.

En tout cas ce n'est pas mon père qui m'a appris à affûter une tronçonneuse, jamais je ne l'ai vu faire ça ; même en fouillant dans les derniers recoins de ma mémoire je ne pourrais pas l'imiter. En 1948, les scies électriques qu'on pouvait manier tout seul n'avaient pas encore fait leur apparition dans les forêts norvégiennes. À l'époque on ne trouvait que des machines si lourdes qu'il fallait cinq hommes pour les transporter. Sauf si on avait un cheval. Et de toute façon, personne n'avait les moyens de s'offrir ce genre d'équipement. Cet été-là, quand mon père a décidé de couper son bois, on a donc procédé comme on l'avait toujours fait dans la région. Nous étions toute une équipe avec des scies à main et des serpes à ébrancher, l'air était pur et on avait un cheval expérimenté et des chaînes pour tirer les grumes jusqu'à la rivière où on les empilait pour les laisser sécher. Sur chaque tronc on gravait la marque du propriétaire, et à la fin, quand tout le bois était abattu et écorcé, deux hommes se plaçaient aux extrémités de la pile pour pousser les grumes et les faire tomber à l'eau avec leurs crocs à levier. Et des cris saluaient le départ du bois, des formules d'adieu si anciennes que personne n'en comprenait le sens exact, et les grumes heurtaient l'eau en soulevant des gerbes et le courant s'en emparait et puis : bon vent !

Je me lève, ma tronçonneuse affûtée à la main, je la pose sur le côté et je défais les bouchons des réservoirs. J'y mets de l'essence et de l'huile et je revisse soigneusement les bouchons. Je siffle Lyra, et elle accourt aussitôt, délaissant ses travaux de terrassement derrière la maison. Mon thermos sous le bras, je me dirige vers la lisière de la forêt où gît le sapin, grand et lourd et presque blanc dans la bruyère, sans trace de l'écorce qui recouvrait autrefois son tronc. Après deux essais la tronçonneuse démarre, je coupe le starter et je fais tourner la chaîne à vide, un hurlement envahit la forêt, je mets mon casque antibruit et j'approche la chaîne. La sciure gicle sur mon pantalon et tout mon corps vibre.

6

Il régnait une odeur de bois fraîchement coupé. Elle se répandait de la route jusqu'à la rivière, elle remplissait l'air et flottait au-dessus de l'eau, elle pénétrait partout, elle m'engourdissait et me faisait tourner la tête. J'étais au centre de tout. Je sentais la résine, mes vêtements et mes cheveux sentaient la résine ; la nuit, dans ma couchette, ma peau sentait la résine. Je m'endormais avec l'odeur de résine, je me réveillais avec l'odeur de résine, l'odeur de résine m'accompagnait du matin au soir. Je faisais un avec la forêt. Pataugeant dans des brindilles de sapin, je courais partout en coupant des branches comme mon père m'avait appris à le faire : aussi près du fût que possible, pour ne rien laisser dépasser qui puisse gêner le passage du couteau à écorcer ou blesser les pieds des hommes qui auraient à marcher sur les grumes et les séparer quand elles s'agglutineraient sur la rivière. Je maniais la serpe en cadence ; un coup à droite, un coup à gauche. Le travail était pénible, tout me résistait, tout était dur, mais ça m'était égal ; je ne sentais pas ma fatigue et je continuais à travailler sans y prêter attention. Les autres devaient me retenir, ils me prenaient par l'épaule et m'asseyaient de force sur une souche d'arbre en m'enjoignant de rester assis et de me reposer un peu, mais la résine me collait aux fesses, mes pieds me démangeaient et je finissais par m'arracher de la souche et m'emparer de la serpe. Le soleil me cuisait et mon père rigolait. J'avais un sentiment d'ivresse.

Il y avait le père de Jon, il y avait la mère de Jon avec ses cheveux blonds qui se détachaient sur le vert profond des sapins quand elle montait de la barque avec son panier pour nous apporter à manger, et il y avait un homme qui s'appelait Franz. Il avait des avant-bras énormes et un tatouage en forme d'étoile sur celui de gauche, et il vivait dans une petite maison près du pont d'où il pouvait observer la rivière toute l'année, si bien qu'il était au courant de tout ce qui s'y passait. Et il y avait mon père et moi, et Brona. Jon n'était pas là, on racontait qu'il était parti au bourg avec le car quelques jours après l'enterrement, mais personne n'avait l'air de savoir ce qu'il était allé y faire, et je n'ai pas posé de questions. Ce qui me tracassait, c'était de savoir si j'allais le revoir un jour.

Le matin, nous commencions alors que sept heures venaient juste de sonner, nous travaillions jusqu'au soir, et nous sombrions dans un sommeil de plomb. Le lendemain nous étions réveillés par la lumière du jour, et nous remettions ça. À un moment j'ai cru que nous n'en verrions jamais le bout ; quand vous parcourez un sentier bordé d'arbres, vous avez l'impression de vous promener dans une jolie petite forêt, mais quand vous commencez à compter les sapins en sachant qu'il va falloir les abattre avec des scies à main, vous risquez facilement de vous décourager, car le travail vous paraît sans fin. Pourtant, une fois à l'œuvre et le bon rythme trouvé, les notions de commencement et de fin n'ont plus de sens, seul le présent compte et il suffit d'enchaîner les gestes pour qu'ils finissent par s'effectuer tout seuls, comme un pouls qui bat. Et il faut faire des pauses au bon moment, et se remettre au travail au bon moment, et manger et boire en quantité suffisante mais pas trop, et veiller à bien dormir : huit heures par nuit et au moins une heure en milieu de journée.

Moi je dormais en milieu de journée, mon père dormait, le père de Jon dormait, et Franz aussi ; seule la mère de Jon ne dormait pas. À l'heure de la sieste, quand nous nous couchions dans la bruyère, chacun sous son arbre, elle descendait jusqu'à la rivière et prenait sa barque pour rentrer s'occuper de Lars. Et à notre réveil elle était de retour, ou alors nous entendions ses coups de rame et nous savions qu'elle n'allait pas tarder. Souvent elle nous apportait des choses dont on avait besoin, des outils qu'on lui avait demandés, ou une petite collation, des gâteaux qu'elle avait préparés et qui nous faisaient bien plaisir. Je me demandais comment elle y arrivait, car elle travaillait aussi dur qu'un homme. Et à chaque fois je voyais mon père qui la regardait, les yeux mi-clos. Et je faisais pareil, je n'arrivais pas à m'en empêcher. Et comme on la regardait, le père de Jon la regardait aussi, mais pas comme il le faisait d'habitude. Ce qui me paraissait normal. Mais j'ai l'impression qu'on ne regardait pas la même chose, car ce qu'il voyait semblait le surprendre et le mettre mal à l'aise. Moi, ce que je voyais me donnait envie d'abattre le plus grand des sapins et de le faire tomber avec un fracas qui retentirait partout dans la vallée. Et ensuite je l'élaguerais en un temps record et je l'écorcerais tout seul sans même faire une pause, alors que c'était ce qu'il y avait de plus dur. Et de mes propres mains je le traînerais jusqu'à la rivière sans l'aide du cheval ni de personne, et je le balancerais à l'eau avec toute cette force que je venais de me découvrir. Et je le verrais soulever des gerbes aussi hautes que les immeubles d'Oslo.

J'ignore ce que pensait mon père, mais lui aussi faisait des efforts supplémentaires quand la mère de Jon était là.

Et elle était souvent là, si bien qu'au bout de quelques jours nous étions passablement éreintés. Mais il plaisantait et rigolait, et je faisais pareil. Nous étions complètement euphoriques, mais sans véritablement savoir pourquoi ; moi en tout cas je n'en savais rien. Franz aussi était de bonne humeur ; il faisait gonfler ses muscles en maniant la hache et lançait blague sur blague d'une voix de stentor. Et quand il a failli se faire écraser par un sapin dont une des branches lui a arraché le bonnet, il s'est contenté de lâcher sa hache et d'esquisser une pirouette en écartant les bras, comme un danseur.

— Le destin et moi, on a mélangé nos sangs, et tout ce qui m'arrive, je le porte à bout de bras ! a-t-il crié dans un grand éclat de rire.

Et je l'imaginais retenir à mains nues le gros arbre regorgeant de sève enivrante, et le sang qui jaillirait, rouge et brillant, de l'étoile rouge sur son avant-bras. Mon père a secoué la tête en se grattant le menton. Mais il n'a pas pu s'empêcher de sourire.

— Ton père, il prend un risque, a dit Franz un jour à la pause.

Assis sur une pierre, je massais mes épaules douloureuses en contemplant la rivière. Il avait surgi tout d'un coup à côté de moi.

— Ton père, il prend un risque à vouloir couper son bois en plein été et à l'envoyer sur la rivière tout de suite. Le bois est plein de sève ; t'as dû le remarquer.

Je m'en étais rendu compte. Ça rendait le travail encore plus dur, car chaque tronc pesait deux fois plus qu'à n'importe quelle autre période de l'année, et la vieille Brona n'arrivait pas à en tirer autant que d'habitude.

— Le bois pourrait finir par couler au fond. En plus, la

rivière n'a pas beaucoup de débit, et ça va pas s'améliorer. Mais mettons que j'aie rien dit. S'il veut qu'on le fasse, on le fera. C'est pas mon problème. Le patron, ici, c'est lui.

Et en effet il l'était. Jusque-là je ne l'avais jamais vu évoluer dans une situation semblable, avec des hommes sous ses ordres et un travail à accomplir ; il en imposait aux autres avec son autorité naturelle, ils l'écoutaient tous quand il expliquait comment procéder et se rangeaient à son avis sans discuter alors qu'ils avaient bien plus d'expérience et connaissaient mieux le boulot que lui. Jamais il ne m'était venu à l'esprit que d'autres pouvaient aussi le percevoir ainsi et accepter son autorité. Ça ne tenait pas seulement à nos rapports de père à fils.

Près de la rivière la pile de grumes montait si haut que nous n'arrivions plus à hisser les fûts jusqu'au sommet et qu'il a fallu en commencer une autre. Quand elle revenait de la partie haute de la coupe, Brona s'arrêtait sur la berge où nous nous activions ; les chaînes s'entrechoquaient avec un bruit de ferraille, le soleil faisait scintiller l'eau et la jument sombre et chaude avait les flancs couverts de grosses taches de sueur. Elle dégageait une odeur âcre, cette odeur caractéristique de cheval qui ne ressemblait à rien de ce que j'avais connu en ville. Son odeur me plaisait, et quand elle se tenait immobile, l'encolure baissée, il m'arrivait d'appuyer mon front contre son flanc, et je sentais son poil rêche me râper la peau. Il n'était pas nécessaire de la guider, ni même de la surveiller, car au bout de deux trajets elle connaissait déjà le chemin par cœur. Mais le père de Jon marchait toujours à côté d'elle en laissant flotter les rênes. Et près de la rivière mon père les attendait, le croc à levier à la main, tel un chevalier dans un tournoi sur une gravure anglaise. Ensemble ils soulevaient les grumes pour les empiler. Au début c'était simple, mais ensuite ça se compliquait; pourtant il n'était pas question de s'arrêter, et on voyait bien qu'ils se livraient à une sorte de compétition. Quand l'un était sur le point de renoncer, estimant qu'il était impossible de monter plus haut, l'autre insistait pour continuer.

— Allez! criait le père de Jon.

Et chacun enfonçait son croc à une extrémité du tronc.

— Ho, hisse! criait mon père.

Et le père de Jon répondait :

— Alors, tu soulèves, oui ou merde?

Et il arrivait à peine à maîtriser sa voix, et je comprenais qu'il cherchait à défier l'autorité de mon père. Ils hissaient et soulevaient et leur transpiration coulait et le dos de leur chemise prenait une teinte plus foncée et sur leur front et sur leur cou et sur leurs bras les veines saillaient, bleues et larges comme les fleuves d'une mappemonde : le Rio Grande, le Brahmapoutre, le Yang-Tsé Kiang. Mais il n'y avait pas moyen de monter plus haut et d'ailleurs ça n'avait pas de sens, il suffisait de commencer une autre pile qui, de toute façon, serait la dernière, car nous travaillions depuis une semaine et nous commencions à entrevoir la fin du labeur. Et le fruit de nos efforts, les piles de grumes jaunes et écorcées qui s'alignaient le long des berges, me paraissait si impressionnant que je concevais difficilement d'y avoir joué un rôle. Mais ni mon père ni celui de Jon n'acceptait de céder. Ils voulaient encore y hisser un fût, puis un autre; l'un des deux semblait y tenir, mais pas toujours le même, apparemment. Ils hissaient les grumes le long de deux poutres posées obliquement contre la pile; la pente était si forte qu'il aurait fallu bricoler une sorte de poulie, en fixant une corde en haut et en la passant autour de chaque extrémité du tronc pour diviser la charge par deux et faciliter les manœuvres. Franz leur avait montré comment faire, mais ils s'y refusaient et se contentaient de se servir de leurs crocs à levier. Ils peinaient tellement que ça commençait à devenir dangereux ; leurs pieds glissaient et ils avaient du mal à coordonner leurs mouvements.

C'était déjà l'heure de la pause. En haut, près de la route, Franz prenait une voix de mourant :

— Du café, vite ! J'en peux plus !

Les bras endoloris, je contemplais les deux hommes qui continuaient imperturbablement. Ils gémissaient sous l'effet de la chaleur. Se dirigeant vers la barque pour rentrer auprès de Lars, la mère de Jon s'est arrêtée près de moi. Elle les regardait aussi.

Je sentais sa présence, la chaleur de sa peau, sa robe bleue délavée. Au lieu de rejoindre la barque comme d'habitude et de plonger les rames dans l'eau, elle ne bougeait pas, et j'étais persuadé qu'il allait se passer quelque chose. J'ai voulu appeler mon père, lui dire d'arrêter ses bêtises. Mais j'ai pensé qu'il risquerait de le prendre mal, même s'il m'écoutait souvent et tenait parfois compte de mon avis. Surtout quand j'avais quelque chose de sensé à dire, ce qui m'arrivait fréquemment. Je me suis retourné vers la mère de Jon. Je ne la voyais plus comme sa mère. Ou plutôt si, mais on aurait dit qu'il y avait en elle deux personnes différentes à la fois. Nous avions tous les deux la même taille et nos cheveux étaient décolorés par le soleil éclatant, mais son visage si ouvert et si nu il y a seulement un instant était maintenant fermé. Ses yeux gardaient une expression rêveuse, elle paraissait absente et semblait voir quelque chose que je ne voyais pas, quelque chose de plus vaste et de plus lointain qui m'échappait. Mais j'ai compris qu'elle non plus ne prendrait pas l'initiative d'arrêter les deux hommes. Ils n'avaient qu'à pousser les choses jusqu'au bout et régler une bonne fois pour toutes un conflit qui me dépassait ; c'était peut-être ça qu'elle souhaitait. Et ça me faisait peur. Mais plutôt que de reculer, j'ai cédé à une sorte de fascination. D'ailleurs, où aurais-je pu me réfugier ? Il n'y avait pas de retraite possible, tout seul je n'avais nulle part où aller. J'ai fait un pas dans sa direction, elle était si près de moi que ma hanche a frôlé la sienne. Je crois qu'elle ne s'en est même pas aperçue, mais ça m'a provoqué comme une décharge électrique, et les deux hommes en haut de la pile s'en sont rendu compte. Interrompant leur joute, ils nous ont regardés, et j'ai eu un geste qui m'a surpris. J'ai mis mon bras autour de l'épaule de la mère de Jon et je l'ai attirée contre moi. C'était un geste que je n'avais fait à personne en dehors de ma mère. Mais cette fois-ci ce n'était pas ma mère. C'était la mère de Jon, et elle exhalait une odeur de soleil et de résine, comme moi sans doute, mais aussi quelque chose qui m'enivrait, qui me rappelait les odeurs de la forêt et me faisait presque venir les larmes aux yeux. J'aurais voulu qu'elle ne soit la mère de personne, qu'elle n'ait pas d'enfants, ni morts ni vivants. Et le plus étrange, c'est qu'elle n'a pas bougé. Elle s'est laissé étreindre et s'est doucement appuyée contre mon épaule. Je n'ai pas compris ce qu'elle voulait ni ce que je voulais moi-même, mais je l'ai serrée plus fort, effrayé et heureux. Peut-être avait-elle seulement besoin de sentir une présence, un bras autour d'elle, ou alors elle s'est laissé faire parce que j'étais le fils de quelqu'un. Mais pour la première fois de ma vie je ne voulais pas être le fils de quelqu'un. Ni de ma mère là-bas à Oslo, ni de cet homme là-haut sur la pile de grumes qui nous regardait avec tant d'étonnement qu'en se redressant il a failli laisser tomber son croc à levier. Il s'est vite repris, mais comme ils étaient tous les deux en train de manœuvrer une grume, son inadvertance a été fatale. Le père de Jon, tout aussi étonné, a essayé de ne pas lâcher prise, mais en vain ; la grume a tourné comme une hélice et lui a heurté les pieds avant de dégringoler, et j'ai entendu sa jambe se briser comme une branche morte. Il est tombé en avant, il a glissé jusqu'au bas de la pile et son épaule a percuté le sol avec un bruit sourd. Tout s'est passé si vite que j'ai à peine eu le temps de m'en rendre compte. J'ai seulement vu les images défiler. En équilibre instable au sommet de la pile, mon père brandissait son croc à levier, tandis que la rivière coulait derrière lui et que le ciel bleu était presque blanc de chaleur. Par terre, le père de Jon gémissait bruyamment. Sa femme, que je venais de serrer contre moi avec fermeté et douceur, s'est réveillée de son rêve et s'est précipitée vers la pile de grumes. Elle s'est agenouillée auprès de son mari et a pris sa tête sur ses genoux, mais elle n'a rien dit et s'est contentée de secouer sa propre tête comme si son homme venait encore de faire une bêtise. Elle paraissait découragée ; c'est du moins l'impression que j'ai eue. Et pour la première fois de ma vie j'ai éprouvé du ressentiment à l'égard de mon père ; il venait de gâcher un moment de plénitude comme je n'en avais jamais connu jusque-là. Envahi par la rancœur, j'étais au bord de la colère, mes mains tremblaient et j'avais froid malgré la chaleur estivale. Je n'ai même pas le souvenir d'avoir éprouvé un sentiment de compassion pour le père de Jon, alors que je voyais bien que sa jambe et son épaule le faisaient souffrir. Soudain il s'est mis à hurler. C'étaient les hurlements de désespoir d'un homme adulte en proie à la douleur, un homme qui venait de perdre un fils et dont un autre fils avait quitté la maison, peut-être pour toujours. Un homme que tout paraissait accabler. Ce n'était pas difficile à comprendre. Mais je ne crois pas qu'il m'ait inspiré de la compassion, car mes propres tourments m'encombraient la tête au point de la faire éclater. Penchée sur lui, sa femme n'arrêtait pas de secouer la tête, et derrière moi j'entendais Franz descendre le sentier à grands pas. Et Brona agitait sa crinière et ruait dans les brancards. Désormais, plus rien ne sera comme avant, ai-je pensé.

Depuis quelque temps il faisait très lourd, et cette journée avait été particulièrement pénible. L'air était chargé, comme on dit ; il était saturé d'humidité, notre transpiration coulait plus fort que d'habitude, et au milieu de l'après-midi le ciel a commencé à se couvrir sans entraîner la moindre baisse de température. Avant même la tombée de la nuit, il faisait déjà noir. Mais alors nous avions déjà transporté le père de Jon en barque jusqu'à l'autre rive pour l'emmener ensuite chez le médecin du bourg dans l'une des deux voitures du village. Bien entendu, la voiture était celle de Barkald, et il a lui-même tenu le volant pendant tout le trajet. La mère de Jon était restée auprès de Lars, elle ne pouvait pas le laisser seul aussi longtemps, et je me suis dit que ça devait être dur pour elle de tourner en rond à la maison sans personne à qui parler en dehors de son fils. Et je n'imaginais pas non plus que les deux hommes dans la voiture puissent trouver quelque chose à se dire.

Quand l'orage a éclaté, mon père et moi étions à table, en train de regarder par la fenêtre. Nous avions mangé sans nous adresser la parole. En principe il devait encore faire jour, nous étions en juillet, mais il faisait noir comme en octobre. Soudain il y a eu un éclair, et nous avons clairement distingué les arbres encore debout après la coupe et les piles de grumes sur les berges et l'eau de la rivière et même la rive d'en face. Puis un coup de tonnerre a fait trembler le chalet.

— Putain de Dieu ! me suis-je exclamé.

Mon père s'est retourné et m'a regardé d'un air dubitatif :

— Qu'est-ce que tu as dit ?

— Putain de Dieu !

Il a soupiré en secouant la tête :

— N'oublie quand même pas que tu dois faire ta confirmation bientôt. Penses-y !

Et la pluie s'est mise à tomber. Doucement d'abord, mais elle a rapidement commencé à frapper si fort contre le toit que nous n'arrivions même plus à entendre nos pensées. Mon père a penché la tête en arrière, comme s'il cherchait à apercevoir la pluie à travers le plafond et les poutres et les tuiles d'ardoise. Il espérait peut-être qu'elle lui tomberait sur le front ; en tout cas il a fermé les yeux. Après une journée pareille, ça nous aurait sûrement fait du bien de recevoir de l'eau froide sur la tête. Il a dû avoir la même pensée que moi, car il s'est levé tout d'un coup :

— Tu veux prendre une douche ?

— Ça ne me déplairait pas.

Nous avons bondi jusqu'au milieu de la pièce. Arrachant nos vêtements, nous les avons envoyés valser à droite et à gauche d'un coup de pied. Mon père a couru tout nu jusqu'à l'évier et il a trempé le savon dans le baquet d'eau. Il avait l'air aussi bizarre que moi : hâlé de la tête au nombril et couleur de craie du nombril aux pieds. Il s'est savonné dans tous les endroits accessibles, et son corps a fini par être couvert d'épis de mousse. Puis il m'a lancé le savon et je me suis empressé de l'imiter.

— Le premier qui arrive sous la flotte a gagné ! a-t-il crié en se précipitant vers la porte.

Manœuvrant comme un joueur de football américain, j'ai essayé de lui couper son trajet et de le déséquilibrer. Il m'a attrapé par l'épaule pour m'en empêcher, mais le savon m'avait rendu si glissant qu'il a dû lâcher prise. Il a éclaté de rire :

— Putain d'anguille !

Lui avait le droit de parler comme ça, car il avait fait sa confirmation depuis longtemps. Arrivant à la porte en même temps, nous nous sommes bousculés pour passer le premier à travers l'étroite ouverture. Nous étions debout sous l'auvent, et la pluie frappait le sol autour de nous. Elle était d'une force impressionnante, presque effrayante, si bien que nous sommes restés immobiles à la regarder. De manière démonstrative, mon père a pris une profonde inspiration :

— C'est maintenant ou jamais !

Puis il s'est lancé. Au milieu de la cour il s'est mis à danser, nu comme un ver, les bras levés vers le ciel, sous la flotte qui lui éclaboussait les épaules. J'ai couru vers lui sous la pluie battante. Arrivé à ses côtés, je me suis mis à sautiller en chantant *la Norvège en rouge, blanc et bleu,* et il a joint sa voix à la mienne. En quelques secondes toute trace de savon avait disparu de nos corps, et toute chaleur aussi. Nous étions lustrés et brillants comme des phoques, et sûrement aussi froids au toucher.

— Je suis gelé, ai-je hurlé.

— Moi aussi. Mais on va continuer encore un peu !

— D'accord.

Et je me suis mis à me frapper le ventre et les cuisses avec le plat de la main pour réchauffer ma peau anesthésiée par le froid. Puis j'ai eu l'idée de faire le poirier, car j'étais assez doué pour ça.

— Allez ! ai-je crié en direction de mon père.

Je me suis baissé, j'ai pris mon élan, et il n'a pas pu faire autrement que de m'imiter. Et nous nous sommes promenés sur nos mains dans l'herbe mouillée, sous la pluie qui tambourinait sur nos fesses. Mais ça me provoquait des frissons si bizarres qu'au bout d'un moment j'ai dû me remettre sur mes pieds. Personne n'a jamais dû avoir le derrière aussi propre. Nous avons couru vers le chalet pour nous essuyer avec de grandes serviettes et nous frotter la peau avec le tissu grossier pour retrouver notre chaleur. Soudain mon père m'a regardé, la tête de biais :

— Mais tu es devenu adulte.

— Pas tout à fait.

Je savais en effet qu'il se passait encore autour de moi des choses que je ne comprenais pas, mais que les adultes comprenaient. Et en même temps, je sentais que ça ne saurait tarder, que je n'avais plus longtemps à attendre.

— Peut-être pas tout à fait, non.

Il s'est passé la main dans ses cheveux mouillés. Sa serviette nouée autour des hanches, il s'est approché de la cuisinière à bois. Il a déchiré un vieux journal qu'il a roulé en boule et glissé dedans, puis il a mis trois bûches tout autour et allumé le feu. En refermant la porte de la cuisinière il a laissé le clapet de tirage ouvert, et le bois archisec a tout de suite commencé à crépiter. Il est resté près du fourneau, les bras en l'air, à moitié penché au-dessus des rondelles de fonte noire, laissant la chaleur monter le long de son ventre et de sa poitrine. Je n'ai pas bougé. Je regardais son dos. Je savais qu'il allait me dire quelque chose. C'était mon père, je le connaissais.

— Ce qui s'est passé aujourd'hui, ça n'aurait pas dû arriver, a-t-il dit sans se retourner. À continuer ce petit jeu, ça devait forcément se terminer mal. J'aurais dû arrêter les choses bien avant. Moi je pouvais, mais pas lui. Tu comprends ? Nous, on est adultes. Ce qui est arrivé, c'est de ma faute.

Je n'ai rien répondu. Je me demandais s'il voulait dire que c'était lui et moi qui étions adultes, ou s'il parlait du père de Jon. Je penchais pour la seconde alternative.

— C'était impardonnable.

Il avait raison, je le comprenais, mais je n'aimais pas le voir prendre la faute sur lui, sa responsabilité ne me semblait pas si évidente, et s'il était coupable je l'étais aussi. Et même si c'était dur de se sentir responsable d'un tel accident, j'ai eu l'impression qu'il m'abaissait par sa manière de m'exclure. J'ai de nouveau éprouvé du ressentiment à son égard, mais moins fort. Il s'est tourné vers moi, et j'ai vu à son visage qu'il avait deviné mes pensées. Mais rien de ce que je pouvais dire n'arriverait à nous rendre les choses plus faciles. Tout ça était trop compliqué, je n'avais plus envie d'y penser, pas ce soir-là en tout cas. J'ai senti mes épaules s'affaisser et mes paupières se fermer, et je me suis frotté les yeux avec la jointure de mes doigts.

— Tu es fatigué ?

— Oui.

Et c'était vrai. Mon corps était fatigué, ma tête était fatiguée, ma peau était insensible et je n'avais qu'une envie : me glisser sous la couette et dormir, dormir tout mon soûl.

Il a tendu la main pour m'ébouriffer les cheveux. Puis il a pris une boîte d'allumettes sur l'étagère. Après avoir allumé la lampe à pétrole au-dessus de la table, il a soufflé l'allumette et l'a jetée dans la cuisinière à bois. Dans la lumière jaune de la lampe, nous avions l'air plus étrange encore avec nos corps bicolores. Il m'a souri :

— Va te coucher. Je te rejoindrai plus tard.

Mais il ne m'a pas rejoint. Quand je me suis levé au milieu de la nuit pour aller pisser, il n'était pas là. Abruti par le sommeil j'ai traversé la pièce commune, mais il n'y était pas non plus. J'ai ouvert la porte, et j'ai vu que la pluie avait cessé. Mais il n'était pas non plus dans la cour. Et quand je suis retourné dans la chambre, je me suis aperçu que son lit était encore fait au carré, exactement comme la veille au matin.

7

Grâce à la tronçonneuse, le sapin mort est ébranché et débité en bûches, elles font environ la moitié de la taille d'un billot et je les ai transportées trois par trois dans la brouette pour les déverser en tas sous l'auvent de l'abri à bois. Maintenant elles forment une pyramide de deux mètres. Demain je commencerai à les fendre. Jusqu'ici tout s'est bien passé, je suis content de moi, avec mon dos ça suffit pour aujourd'hui. D'ailleurs il est cinq heures passées, le soleil a disparu quelque part à l'ouest ou au sud-ouest, l'obscurité se répand depuis la lisière de la forêt où je m'activais tout à l'heure, et il est temps de s'arrêter. Avec un chiffon à peu près propre je débarrasse la tronçonneuse du mélange de sciure, d'essence et d'huile qui la recouvre, je la pose sur un escabeau dans l'abri pour lui éviter le contact avec la terre, je referme la porte derrière moi et je traverse la cour, mon thermos vide sous le bras. Puis je m'assieds sur la marche devant l'entrée, j'enlève mes bottes humides et je les secoue en les tapotant pour enlever les copeaux de bois. Je nettoie le bas de mon pantalon. Je nettoie aussi mes chaussettes en les frappant avec mes gants de travail avant d'enlever les derniers copeaux à la main. Les copeaux finissent par faire un joli petit tas sur le gravier. Une pomme de pin dans la gueule, Lyra est assise devant moi et me regarde faire. La pomme de pin dépasse de ses babines, on dirait un gros cigare éteint, et elle veut que je la lance pour qu'elle me la rapporte. Mais quand on commence à jouer à ça, elle ne s'arrête jamais, et je n'ai plus de forces.

— Désolé, lui-dis-je, ce sera pour une autre fois.

Je caresse sa tête jaune, lui frotte le cou et lui tire légèrement les oreilles. Elle adore ça. Elle laisse tomber la pomme de pin et vient s'asseoir sur le paillasson.

Je pose mes bottes devant la porte, les talons contre le mur, je traverse le couloir en chaussettes et je pénètre dans la cuisine. Je rince mon thermos à l'eau bien chaude du robinet et je le mets à sécher près de l'évier en attendant de m'en resservir. J'ai fait installer un ballon d'eau chaude il y a deux semaines seulement. Avant, il n'y avait qu'un vidoir fixé au mur avec un robinet d'eau froide au-dessus. J'ai appelé un plombier qui connaissait bien la maison, et il m'a dit de creuser jusqu'à deux mètres de profondeur pour dégager les canalisations afin qu'il puisse modifier l'angle du tuyau et les diriger vers la cuisine en les faisant passer sous les fondations. Et j'avais intérêt à m'y mettre sans tarder, avant qu'il ne gèle. Pas question qu'il creuse lui-même, il n'était pas terrassier, a-t-il dit. Moi, ça ne me dérangeait pas, mais le travail était dur, le sol était plein de caillasses. J'habite sur une moraine, paraît-il.

Maintenant j'ai un évier, comme tout le monde. Je me regarde dans le miroir. L'image qu'il me renvoie ressemble à peu près à ce qu'il faut s'attendre à découvrir quand on a soixante-sept ans passés. Ainsi je ne suis pas à contretemps par rapport à moi-même. Quant à savoir si j'aime ce que je vois, c'est une autre histoire. Mais ça n'a pas d'importance. Je ne suis pas obligé de me montrer devant grand monde, et je n'ai pas d'autres miroirs. Et pour être tout à fait franc, mon visage ne me déplaît pas. Je l'assume, je le reconnais. Je ne peux rien exiger de plus.

La radio est allumée. On y parle du prochain changement de millénaire et des problèmes qui ne manqueront pas de surgir dans les systèmes informatiques quand on passera au double zéro de l'an 2000. On dit qu'il est impossible de savoir quels sont les risques, mais qu'il faut prendre des précautions pour éviter une catastrophe, et que l'industrie norvégienne a du retard. Je n'y connais rien, et ça ne m'intéresse pas. Ce dont je suis sûr en revanche, c'est qu'il y a toute une flopée de consultants qui ne s'y connaissent pas plus que moi, mais qui y voient une possibilité de se faire du fric. Et qui ne manqueront pas d'en profiter, si ce n'est déjà fait.

Je lave quelques pommes de terre que je mets dans ma plus petite casserole, puis j'y ajoute de l'eau et pose la casserole sur la cuisinière. Je m'aperçois que j'ai faim, les efforts pour venir à bout du sapin m'ont creusé l'estomac. Depuis quelques jours je n'avais plus d'appétit. Les pommes de terre viennent du supermarché, l'année prochaine je mangerai les miennes, que j'aurai cultivées dans le potager derrière la remise. Il est complètement envahi par les mauvaises herbes et il va falloir le bêcher, mais j'y arriverai bien. Il suffit de prendre son temps.

Quand on vit seul, c'est important de se préparer un vrai dîner. C'est trop facile d'y renoncer, faire à manger pour une personne n'a rien d'exaltant. Il faut des pommes de terre, de la sauce et des légumes, il faut une serviette, un verre propre et une bougie allumée. Et il n'est pas question de se mettre à table en tenue de travail. J'attends que les pommes de terre commencent à bouillir et je vais dans ma chambre. Je change de pantalon et j'enfile une chemise blanche, puis je retourne dans la cuisine. Je mets une nappe sur la table et du beurre dans la poêle et je fais cuire le poisson que j'ai moi-même pêché dans le lac.

Dehors, c'est l'heure bleue. Tout paraît se rapprocher, la remise, la forêt, le lac au-delà des arbres, on dirait que l'air coloré relie les choses, qu'elles n'existent plus de manière séparée. L'idée est séduisante, mais je doute qu'elle soit vraie. Il vaut mieux être indépendant, mais pour l'instant ce monde bleu m'apporte une consolation que je ne suis pas certain de désirer et dont je n'ai pas besoin. Mais je l'accepte. Je me mets à table avec un sentiment de satisfaction et je commence à manger.

Et c'est alors qu'on frappe à la porte. En soi ça n'a rien d'étonnant, puisque je n'ai pas de sonnette, mais personne n'a frappé à cette porte depuis que j'habite ici, et les rares fois où j'ai reçu des visiteurs j'ai toujours entendu leur voiture. Et j'ai donc pu sortir les accueillir dans la cour. Mais cette fois-ci je n'ai pas entendu de moteur ni vu de lumière. Un peu agacé, je me lève, abandonnant mon assiette à peine entamée. Je vais dans le couloir et j'ouvre la porte. Sur les marches se tient Lars. Poker est assis derrière lui, silencieux et obéissant. La lumière presque artificielle me rappelle certains films que j'ai vus : bleue et factice, venant d'une source invisible, faisant apparaître les objets avec netteté mais à travers un filtre, comme si leur matière était identique. Même le chien est bleu et il ne bouge pas ; on dirait un chien en pâte à modeler.

— Bonsoir, dis-je, alors qu'au sens strict c'est encore l'après-midi.

Mais que dire d'autre dans cette lumière ? Lars me paraît embarrassé, mais je me trompe peut-être. Son visage m'intrigue pourtant, et le chien aussi : ils paraissent tous les deux figés. Ni l'un ni l'autre ne me regardent en face ; ils restent dans l'expectative.

— Bonsoir, finit-il par dire.

Puis il se tait. Plus un mot, aucune explication sur la raison de sa visite. Je ne sais pas quoi faire pour lui délier la langue.

— J'allais me mettre à table, mais ce n'est pas grave. Entrez !

J'ouvre la porte en grand et j'écarte le bras, persuadé qu'il va refuser, qu'il va me dire ce qu'il a sur le cœur sans bouger de là, si tant est qu'il arrive à formuler ce qui le tracasse. Mais il finit par se décider à entrer. Avant de franchir le seuil il se tourne vers Poker :

— Toi, tu restes là.

Il lui montre la marche, et le chien s'approche et s'y assied.

Je recule d'un pas pour le laisser passer. Je retourne dans la cuisine et reste debout près de la table, et il me suit. Le courant d'air fait vaciller la flamme des bougies. Il referme la porte derrière lui.

— Vous avez faim ? Il y en a assez pour deux.

C'est tout à fait vrai ; surestimant mon appétit, je me prépare toujours des repas trop copieux, et c'est Lyra qui finit les restes. Elle le sait, et elle arbore toujours un air de félicité quand je me mets à table. Couchée près du poêle, elle attend et m'observe avec vigilance. Maintenant elle s'approche pour renifler le bas du pantalon de Lars. Son pantalon aurait besoin d'être lavé, nous sommes bien d'accord.

— Asseyez-vous.

Sans attendre de réponse, je vais chercher une assiette dans l'encoignure et je lui mets le couvert. Je lui verse de la bière, et je m'en sers un verre aussi. Un peu de neige contre la vitre, et on se croirait à Noël. Il s'assied, et je le vois jeter un œil gêné sur ma chemise propre. Sa façon de s'habiller ne me regarde pas, les règles que je m'impose ne concernent pas les autres, mais je comprends que je ne lui rends pas les choses plus faciles, quel que soit le but de sa visite. Je m'assieds et lui dis de se servir, et il prend un morceau de poisson, deux pommes de terre et un peu de sauce. Je n'ose pas regarder Lyra, car c'est à peu près ce que je lui aurais donné. Puis nous commençons à manger.

— Excellent, dit Lars. Vous l'avez pêché vous-même?

— Bien sûr. Près de l'embouchure de la rivière.

— Il y a souvent du poisson là-bas. Des perches surtout, mais aussi des brochets entre les joncs, et des truites quand on a de la chance.

Je fais oui de la tête et continue tranquillement de manger en attendant qu'il se dévoile. Cela dit, je ne vois pas d'inconvénient à ce qu'il vienne dîner sans raison précise. Finalement il avale une bonne gorgée de bière, puis il s'essuie la bouche avec sa serviette, pose ses mains sur ses genoux et se racle la gorge :

— Je sais qui tu es.

J'arrête de mastiquer. Je revois mon visage tel qu'il m'est apparu tout à l'heure dans le miroir. Il sait à qui appartient ce visage? Non ; je suis le seul à le savoir. Ou alors il se souvient des journaux d'il y a trois ans. De la grande photo de moi, debout au milieu de la chaussée sous la pluie glaciale, fixant l'appareil d'un air hagard, les cheveux trempés et le front couvert de sang qui se répandait sur ma cravate et ma chemise. Et derrière moi, à peine visible, l'Audi bleue, le cul en l'air et le capot écrabouillé entre les blocs de pierre. Et la sombre et humide paroi rocheuse, et l'ambulance au hayon ouvert où on engouffrait le brancard de ma femme, et la voiture de police avec son gyrophare allumé, et la couverture bleue sur mes épaules, et le camion gros comme un tank qui barrait la route, perpendiculairement à la ligne jaune. Et la pluie. La pluie qui mouillait l'asphalte luisant où les reflets se voyaient doubles, tout comme j'allais continuer à voir double pendant des semaines. La photo était dans tous les journaux. Cadrée à la perfection par un photographe freelance bloqué dans le bouchon qui s'était formé pendant la demi-heure qui avait suivi l'accident. Parti pour effectuer un reportage de routine, il s'était retrouvé avec une photo qui lui a valu un prix. Le ciel bas et plombé, le rail de sécurité enfoncé, les moutons blancs sur la pente à l'arrière-plan. Son œil avait tout embrassé. Regardez-moi! m'avait-il crié.

Mais ce n'est pas à cela que Lars fait allusion. Peut-être a-t-il vu cette photo, mais ce n'est pas à elle qu'il pense. Il m'a reconnu, comme je l'ai reconnu. C'était il y a plus de cinquante ans, nous étions enfants, il avait dix ans et moi quinze, et autour de moi il se passait plein de choses qui me faisaient peur et que je ne comprenais pas. Je sentais pourtant que j'allais bientôt y parvenir, je savais que si je tendais la main aussi loin que possible, je toucherais peut-être au but. Et alors j'y verrais clair. C'était en tout cas ce que je me disais. Et je me souviens de cette nuit de l'été 1948, quand j'ai ramassé mes vêtements et que je me suis précipité dehors, pris de panique. Car je venais de comprendre qu'entre la réalité des choses et ce que disait mon père il n'y avait pas forcément de concordance, et que ça rendait le monde flou et insaisissable. Un gouffre noir s'était ouvert devant moi et j'en distinguais à peine l'autre bord. Et quelque part dans la nuit, à un kilomètre de là, Lars se retournait peut-être dans son lit sans trouver le sommeil. Il devait sans doute essayer d'empêcher son monde de sombrer, alors qu'un coup de feu à l'origine inexplicable continuait d'envahir chaque mètre cube d'air de la petite maison. Si bien que lorsque les gens lui adressaient la parole, il n'entendait que ce coup de feu. Et qu'il n'allait rien entendre d'autre pendant très longtemps.

Et maintenant, cinquante ans plus tard, il est assis face à moi et il sait qui je suis. Que dire à ça? Ce n'est pas une accusation, même si pour une raison ou pour une autre j'ai le vague sentiment que ça y ressemble. Et ce n'est pas non plus une question qui exige une réponse. Mais si je ne dis rien, le silence risque de devenir pesant.

— Oui, dis-je en le regardant droit dans les yeux. Moi aussi je sais qui tu es.

Il hoche affirmativement la tête :

— C'est bien ce que je pensais.

Il hoche de nouveau la tête, reprend son couteau et sa fourchette et se remet à manger. Je vois qu'il est soulagé. C'était ça qu'il voulait. Ça, et rien d'autre. Ça, et la confirmation que je viens de lui donner.

Pendant la fin du repas je me sens un peu embarrassé, piégé dans une situation que je ne maîtrise pas. Nous mangeons sans nous dire grand-chose, nous contentant de nous pencher de temps à autre pour jeter un œil par la fenêtre. La cour va bientôt être plongée dans l'obscurité, et nous hochons la tête en disant que c'est la saison, la nuit tombe vite, eh oui, des phrases de ce genre. Comme si c'était une découverte. Mais Lars a l'air content et termine son assiette.

— Merci pour le repas. Ça fait du bien, un vrai dîner, dit-il sur un ton presque joyeux.

Et il est prêt à partir. Quand il s'en va, c'est d'un pied léger et sans lampe de poche, alors que j'ai le sentiment de porter un fardeau. Trottant derrière lui vers le pont et le petit chalet, Poker finit par disparaître dans la nuit.

Je reste un moment sur le seuil de la porte à écouter ses pas sur le gravier. Ils finissent par s'estomper, mais j'attends

encore un peu, et à travers l'obscurité me parvient le claquement de la porte qui se referme derrière Lars. Puis je
vois la lumière s'allumer à la fenêtre du chalet là-bas près
de la rivière. Je me retourne et je regarde autour de moi,
mais je ne vois pas d'autre lumière que celle de Lars. Le
vent est en train de se lever, mais je reste là à scruter l'obscurité. Il commence à souffler plus fort, j'entends le bruissement de la forêt et j'ai froid sous ma chemise, je me
mets soudain à claquer des dents et je finis par abandonner
mon poste. Je rentre et je referme la porte derrière moi.

De retour dans la cuisine, je débarrasse la table. Pour
la première fois dans cette maison elle a été mise pour
deux. Je me sens envahi, c'est ça, et l'envahisseur n'est pas
n'importe qui.

C'est ça. Je cherche les croquettes dans le garde-manger,
je remplis le bol de Lyra et je le pose devant la cuisinière.
Elle me regarde, elle s'attendait à autre chose, puis elle
renifle la nourriture et commence à manger en déglutissant avec une lenteur démonstrative. Elle se retourne et me
regarde encore d'un air désespéré, puis elle soupire et se
remet à manger comme si elle avalait du poison. Quel animal gâté !

Pendant qu'elle finit son bol, je vais dans la chambre,
j'enlève ma chemise blanche et je la suspends à un cintre.
Je mets la chemise à carreaux de tous les jours, je passe un
pull par-dessus, je vais dans le couloir, j'attrape ma vieille
veste épaisse et je l'enfile aussi. Je prends la lampe de poche
et je siffle Lyra. Devant la porte je me débarrasse de mes
pantoufles et je glisse mes pieds dans mes bottes. Le vent
souffle vigoureusement. Nous descendons le chemin, Lyra
d'abord et moi quelques mètres derrière elle. Je distingue
à peine sa robe claire, mais tant que je la vois c'est elle qui
me sert de guide. Je renonce à allumer la lampe de poche,

je laisse l'obscurité envahir mes yeux et je finis par renoncer à vouloir capter une lumière disparue depuis longtemps.

Arrivé sur le pont je m'appuie un instant sur le gardefou pour jeter un œil vers le chalet de Lars. Il y a toujours de la lumière aux fenêtres et j'aperçois ses épaules entourées d'un halo jaune et sa nuque sans le moindre cheveu gris et la télévision au fond de la pièce. Il regarde les actualités. Je ne sais pas quand j'ai regardé les actualités pour la dernière fois. Je n'ai pas de poste de télévision, et je le regrette parfois quand les soirées se font longues. Mais je me suis dit que lorsqu'on vit seul il est trop facile de rester assis dans son fauteuil, accroché aux images qui défilent jusqu'à tard dans la nuit, et de laisser les autres bouger à votre place pendant que le temps passe. Ça, je ne veux pas. Ma propre compagnie me suffit.

Nous quittons le chemin et prenons un sentier où je me promène souvent. Nous longeons la petite rivière, mais je ne l'entends pas couler ; autour de moi le vent fait bruire les arbres et les arbustes, et je dois allumer la lampe de poche pour éviter de faire un faux pas et de me retrouver dans l'eau.

Près du lac je suis la lisière des joncs jusqu'au banc que je me suis fabriqué et que j'ai trimballé jusqu'ici pour pouvoir m'asseoir et observer ce qui se passe à l'embouchure de la rivière. Voir si le poisson vient happer l'air, regarder les canards et les cygnes qui y nichent. Bien sûr, en cette période de l'année les cygnes ne nichent plus, mais le matin on les voit toujours suivis de leur couvée du printemps, les jeunes aussi grands que leurs parents maintenant mais conservant encore leur plumage gris. Le spectacle est étrange, on dirait deux espèces différentes aux mouvements synchrones, ils nagent de concert et doivent sans doute se croire semblables alors qu'on voit bien qu'ils ne le sont pas. Mais parfois je m'assieds simplement pour laisser vagabonder mes pensées pendant que Lyra se livre à ses occupations habituelles selon un scénario immuable.

Je retrouve mon banc et je m'y installe, mais à cette heure-ci il n'y a rien à regarder, si bien que j'éteins ma lampe de poche et reste là dans le noir à écouter le chuintement aigu du vent qui siffle dans les joncs. Je sens à quel point je suis fatigué après cette journée, j'ai travaillé plus longtemps que d'habitude, et je ferme les yeux en me disant qu'il ne faut pas que je m'endorme, que je vais juste me reposer un peu. Et bien sûr je m'endors, et je me réveille complètement frigorifié, avec le vent qui hurle autour de moi. Et la première pensée qui me vient, c'est que Lars aurait mieux fait de ne rien me dire, ses paroles m'enchaînent à un passé que je pensais avoir laissé derrière moi et me ramènent cinquante ans en arrière avec une facilité qui me paraît presque obscène.

Je me lève péniblement et je siffle Lyra. Avec mes lèvres engourdies, j'y arrive à peine, mais elle est déjà assise à côté du banc en piaillant doucement, son museau contre mes genoux. J'allume la lampe de poche. Le vent est infernal, des tourbillons se forment dans le cône de lumière, les joncs sont couchés à l'horizontale, le lac se couvre de vagues aux crêtes blanches et une plainte s'élève des cimes des arbres nus qui ploient et s'agitent comme des fouets plus au sud. Je me penche vers Lyra et lui caresse la tête.

— Good dog, lui dis-je en anglais.

Ça sonne stupidement, comme la réminiscence d'un film que j'ai vu il y a longtemps, un *Lassie* d'autrefois, ça ne m'étonnerait pas, à moins qu'en dormant je n'aie fait un rêve dont il ne reste que cette réplique. Ce n'est pas du Dickens en tout cas, je n'ai le souvenir d'aucun « good dog » dans ses livres. Et de toute façon c'était ridicule. Je me redresse et je remonte ma fermeture éclair jusqu'au menton.

— Viens, on rentre, dis-je à Lyra.

Et elle bondit de soulagement et file vers la maison comme une flèche, la queue en l'air. Je la suis, un peu moins alerte, la tête enfoncée dans le col de ma veste, serrant la torche dans ma main.

8

Je me rappelle parfaitement cette nuit-là dans le chalet d'alpage, quand mon père n'était pas dans son lit alors qu'il m'avait dit qu'il y serait. Après avoir quitté la chambre, je me suis habillé à la hâte devant la cuisinière à bois de la pièce commune. En me penchant j'ai senti qu'elle conservait un peu de sa chaleur de la veille. J'ai écouté la nuit autour de moi, mais à part ma propre respiration trop rapide et étrangement rauque il n'y avait aucun bruit, et la pièce m'a soudain paru trop grande et dépourvue de repères, même si je connaissais exactement le nombre de pas qui me séparaient de chaque mur. Je me suis efforcé de respirer lentement, remplissant mes poumons à fond et libérant doucement l'air, et j'ai pensé que jusqu'à cette nuit je n'avais jamais connu de malheurs. Je n'avais jamais été seul, pas vraiment, et s'il était arrivé à mon père de s'absenter pendant de longues périodes, je l'avais toujours supporté avec confiance. Mais en vingt-quatre heures ma confiance s'était envolée.

Elle me paraissait loin, la journée brûlante, quand j'ai ouvert la porte et que je suis sorti dans la cour, mes grandes bottes aux pieds. La cour était vide et il faisait presque frais, mais pas aussi noir que tout à l'heure. Dans la nuit d'été les nuages dérivaient à toute vitesse au-dessus de moi et commençaient à se déchirer, et ils laissaient filtrer une lumière pâle et instable qui m'a aidé à trouver mon chemin jusqu'à la rivière. Elle avait maintenant un débit plus important, elle coulait plus fort après la violente pluie et recouvrait les grosses pierres de la berge. Elle enflait et oscillait, brillant d'un éclat mat ; je l'apercevais de loin, et aucun bruit ne me parvenait en dehors de son grondement.

La barque avait disparu. J'ai pénétré dans l'eau. Guettant le bruit des rames, j'ai tendu l'oreille, mais je n'entendais que l'eau qui coulait. Et je n'ai rien vu, ni en amont ni en aval. Les piles de grumes étaient toujours là, bien sûr, et elles répandaient leur parfum dans l'air humide, le pin tordu était là avec sa croix, les prés étaient là sur l'autre rive, entre les berges et la route, mais rien ne bougeait à part les nuages et cette lumière vacillante. C'était étrange de se retrouver dehors tout seul dans la nuit, un peu comme si un son ou une lumière me traversait le corps, un clair de lune ou un tintement de clochettes, alors que l'eau bouillonnait entre mes bottes. Autour de moi tout était vaste et silencieux, mais je n'étais pas perdu. Au contraire, j'avais le sentiment d'être élu. J'étais parfaitement calme, j'étais au centre des choses. C'était grâce à la rivière, ça ne faisait aucun doute ; je pouvais m'immerger jusqu'au menton et ne plus bouger et sentir la violence du courant me bousculer le corps, mais je serais toujours moi, je serais toujours au centre de tout. J'ai regardé le chalet. Il n'y avait pas de lumière aux fenêtres. Je ne voulais pas y retourner, à l'intérieur il n'y avait aucune chaleur, rien que deux pièces vides et abandonnées avec des draps poisseux et un feu éteint, il devait faire plus froid dedans que dehors et je n'avais rien à y faire. Je suis remonté sur la berge et j'ai commencé à marcher.

Après avoir traversé la coupe hérissée de souches toutes fraîches, je suis arrivé sur le chemin de terre qui délimitait notre terrain. Au lieu de prendre vers le nord, comme nous le faisions d'habitude pour rejoindre le pont et la boutique, je me suis enfoncé entre les arbres pour me diriger vers le sud. Je n'ai eu aucun mal à trouver mon chemin, les nuages avaient disparu et la nuit était de nouveau claire. L'air avait l'aspect d'un filtre de farine blanche ; je le voyais distinctement, je pourrais même le toucher si je le voulais. Mais je n'y suis pas arrivé. J'ai essayé pourtant ; en marchant sous la colonnade de fûts sombres j'ai écarté les doigts et j'ai lentement bougé les mains à travers cette lumière poudrée, mais je n'ai rien senti. Tout était comme d'habitude, rien ne distinguait cette nuit de n'importe quelle autre nuit. Mais le centre de gravité de ma vie avait changé, il s'était déplacé comme si un géant muet s'était balancé d'un pied sur l'autre à l'ombre de la colline. Je n'étais plus le même que la veille, et je ne savais pas si ça me faisait de la peine.

Je ne le savais pas, et j'étais trop jeune pour regarder en arrière, si bien que j'ai poursuivi mon chemin. J'entendais la rivière en contrebas au-delà des arbres, et je percevais bientôt les bruits d'une ferme d'alpage voisine de notre chalet, mais plus au sud. Couchées dans le noir derrière les murs en rondins de l'étable, c'étaient les vaches qui ruminaient ou changeaient de position dans la paille. Parfois tout redevenait silencieux, puis ça recommençait ; le tintement assourdi de leurs clochettes me parvenait jusque sur le chemin et je me suis demandé quelle heure il pouvait être. Était-ce bientôt le matin, allais-je pouvoir descendre jusqu'à l'étable, me glisser à l'intérieur et rester là un moment pour m'imprégner de chaleur avant de continuer mon chemin ? C'est ce que j'ai fait. Il suffisait de prendre le sentier tracé par les vaches, de contourner le chalet où personne ne semblait regarder aux fenêtres, d'ouvrir la porte et de me glisser dans la pénombre. Il y régnait une odeur à la fois âcre et agréable et il y faisait aussi chaud que je me l'étais imaginé. J'ai ramassé un tabouret dans l'allée centrale, entre les rigoles de purin, et je l'ai installé contre le mur près de la porte que je venais de refermer, puis je m'y suis assis en fermant les yeux. Et j'ai écouté la respiration régulière des vaches dans leurs stalles et le bruit tout aussi régulier de leurs mâchoires, j'ai écouté leurs clochettes qui carillonnaient et les craquements des rondins de bois et le bruissement de la nuit par-dessus le toit. Un bruissement qui n'était pas dû au vent mais constituait le signe prémonitoire de ce que la nuit allait m'offrir. Et je me suis endormi.

J'ai été réveillé par une caresse sur la joue. J'ai cru que c'était ma mère. J'ai cru que j'étais un petit garçon. J'ai une mère, ai-je pensé ; j'avais oublié ça. Je me suis rappelé ses traits, l'un après l'autre ; j'allais finir par reconstituer l'image que j'avais d'elle depuis toujours, mais le visage que j'ai découvert en ouvrant les yeux n'était pas le sien. Un instant j'ai eu le sentiment de flotter entre deux mondes, fixant chacun d'un œil à moitié endormi, car c'était la vachère qui se tenait devant moi, et il devait être cinq heures du matin. Je la connaissais ; j'avais souvent bavardé avec elle. Je l'aimais bien. Quand elle montait sur la route pour appeler ses vaches, sa voix était comme une flûte en argent, avait décrété mon père. Et pour me montrer ce qu'il voulait dire il tenait ses mains un peu écartées devant ses lèvres en remuant les doigts et en faisant la bouche en cul-de-poule. Je ne connaissais pas la sonorité des flûtes en argent, je n'en avais jamais entendu, mais elle m'a regardé en souriant :

— Bonjour, mon p'tit gars !

Et en effet, sa voix sonnait joliment.

— Je me suis endormi. Il faisait tellement bon ici.

J'ai fini par me redresser tout à fait et je me suis frotté les yeux :

— Tu vas avoir besoin du tabouret.

— T'inquiète pas, ça ira. J'en ai un autre.

Un seau étincelant dans chaque main, elle est allée chercher un autre tabouret dans l'allée centrale, puis elle s'est assise à côté de la première vache et a commencé à lui laver les pis roses avec des gestes délicats et précis. Elle avait déjà enlevé le fumier et répandu de la sciure sur le sol ; tout était propre et les bêtes étaient alignées de chaque côté de l'allée : quatre vaches tachetées, pleines d'attente et de lait. Après avoir approché un seau, elle a empoigné les pis sans brutalité, et un jet blanc a commencé à éclabousser le métal. Tout avait l'air si facile, alors que j'avais essayé plusieurs fois sans jamais réussir à faire sortir la moindre goutte.

Adossé au mur je la regardais dans la lumière de la lampe suspendue à côté de la stalle : le fichu qui retenait ses cheveux, la lueur jaune qui éclairait son visage, son regard rêveur et son vague sourire, ses bras nus et l'éclat mat de ses genoux qui encadraient le seau. J'ai soudain senti le tissu de mon pantalon se tendre si fort que j'en ai eu le souffle coupé. Je n'avais pourtant jamais pensé à elle de cette façon-là ; en tout cas je n'en avais pas le souvenir. Je me suis agrippé des deux mains à mon tabouret, j'avais l'impression de trahir la personne qui occupait mes pensées et je savais qu'en bougeant ne serait-ce que d'un centimètre, je serais perdu. Elle s'apercevrait de mon état, elle entendrait peut-être un pitoyable gémissement sortir de ma gorge et elle comprendrait à quel point j'étais vulnérable. Et ça, je ne

116

pourrais pas le supporter. Alors j'ai dû évoquer d'autres images pour desserrer la pression contre mon pantalon, et j'ai d'abord pensé aux chevaux que j'avais vus courir sur la route qui traversait le village; plusieurs chevaux de robes différentes dont les sabots frappaient la terre dure et sèche, et la poussière qu'ils soulevaient et qui restait suspendue dans l'air chaud comme un rideau jaune entre les maisons et l'église. Mais ça ne m'a servi à rien, car il y avait la chaleur qui émanait des chevaux et la courbe de leur encolure et le rythme de leur respiration quand ils galopaient; toutes choses qui étaient si difficiles à expliquer, mais que je voyais pourtant. Et alors j'ai pensé au Bunnefjord. Au Bunnefjord près d'Oslo, où chaque premier mai on se baignait dans l'eau verte, quel que soit le temps. À l'eau si froide que nos corps se vidaient de tout leur air quand nous sautions des rochers près de Katten et atteignions la surface brillante; à l'interdiction de sauter tous les deux en même temps, puisque l'autre devait rester à terre avec une corde pour jouer les sauveteurs si celui qui nageait était pris de crampes. Je n'avais que sept ans quand on a décidé de faire ça tous les ans, ma sœur et moi; non pas parce que c'était agréable, mais parce que nous avions décidé de relever un défi et de tester notre capacité à souffrir. Et en effet ça nous faisait souffrir. Trois semaines plus tôt, les soldats allemands étaient entrés dans Oslo, et leurs colonnes interminables avaient paradé sur l'esplanade Karl Johan. Il faisait froid ce jour-là et les rues étaient silencieuses; seul le martèlement de leurs bottes retentissait comme des coups de fouet sous le péristyle de l'université, et il se répercutait entre les murs et résonnait au-dessus des pavés. Et il y avait le bourdonnement des Messerschmitt survolant la ville à basse altitude, ils arrivaient du fjord et de la haute mer et d'Allemagne, et les gens les observaient en silence; mon père ne disait rien, je ne disais rien, personne ne disait rien. J'ai levé les yeux vers mon père, et il m'a regardé en secouant la tête. Alors j'ai secoué la tête à mon tour, et il m'a pris par la main. Nous nous sommes éloignés de l'attroupement sur le trottoir, nous sommes passés devant le parlement et nous nous sommes dirigés vers la gare de l'Est pour essayer de trouver un car en direction de Moss ou un train qui partait vers le sud. Mais tout s'était sans doute arrêté, en dehors des troupes allemandes qui grouillaient de tous les côtés. Je ne sais plus par quel moyen on était arrivés en ville, si c'était par le train ou par le car, ou si on nous avait emmenés en voiture. Et on a quand même réussi à rentrer à la maison, mais il est bien possible qu'on ait fait tout le trajet à pied.

Peu de temps après, mon père a disparu pour la première fois, et ma sœur et moi avons commencé à nous baigner dans le fjord glacial, la gorge serrée, en emportant notre corde au cas où.

Ça m'a bien calmé de penser au printemps de 1940, à mon père tel que je le voyais pendant ces froides journées et à l'eau glacée du Bunnefjord, entre Katten et Ingierstrand, où nous avions l'habitude de nous baigner. Bientôt j'ai pu lâcher le tabouret et me relever comme si de rien n'était. La vachère était maintenant assise dans la deuxième stalle ; la tête appuyée contre le flanc de la vache, elle fredonnait doucement et devait seulement penser à l'animal qui se tenait devant elle. J'ai posé mon tabouret contre le mur, et je m'apprêtais à me glisser dehors et à remonter le sentier quand j'ai entendu sa voix :

— Tu veux en goûter un peu ?

J'ai rougi, je ne sais pas pourquoi, et je me suis retourné .

— Oui, je veux bien.

Pourtant, ça faisait longtemps que je ne supportais plus le lait cru. Rien que d'en voir dans mon verre ou dans ma tasse, rien que de penser à sa chaleur et à sa consistance crémeuse, j'avais la nausée. Mais j'avais dormi dans l'étable de la vachère et pensé à elle d'une façon qu'elle ignorait et qui ne lui aurait sûrement pas plu, et je me suis dit que je ne pouvais pas refuser. Alors j'ai pris la louche pleine qu'elle me tendait et j'ai tout avalé d'un seul coup. J'ai bien dégluti et je me suis énergiquement essuyé la bouche :

— Merci beaucoup. Mais il va falloir que j'y aille. Mon père m'attend au chalet pour le petit déjeuner.

— De si bonne heure ?

Elle m'a regardé d'un air placide, comme si elle avait compris qui j'étais et pourquoi j'étais là. De mon côté je n'étais pas sûr de comprendre grand-chose, et j'ai fait oui de la tête avec un peu trop de conviction. Puis j'ai tourné les talons et j'ai traversé l'étable jusqu'à la sortie. Je n'étais pas encore arrivé en haut de la côte que j'ai tout vomi. J'ai arraché quelques touffes de bruyère pour recouvrir la bouillie blanchâtre, car je ne voulais pas qu'elle l'aperçoive en quittant l'étable avec ses vaches après la traite. Ça lui aurait peut-être fait de la peine.

Le chemin que j'ai pris se transformait petit à petit en un étroit sentier qui descendait vers la rivière. Il traversait des prés où l'herbe était haute et trempée de rosée et il débouchait sur un bras mort où s'avançait un ponton presque entièrement caché par les joncs. Je me suis assis à l'extrémité du ponton en laissant pendre mes jambes. Mes bottes touchaient à peine l'eau et il faisait jour maintenant; le soleil se levait au-dessus de la colline et à travers les joncs je pouvais observer l'autre rive et la ferme où habitait Jon. Mais peut-être était-ce la ferme où il n'habitait plus, je n'en savais rien. Là-bas aussi il y avait un ponton, et trois barques y étaient amarrées : d'abord celle de Jon, puis celle dans laquelle j'avais vu sa mère nous rejoindre à la coupe. La première était bleue et la deuxième rouge. Et la troisième était verte et devait normalement se trouver près de notre chalet, si un crétin ne l'avait pas laissée sur l'autre rive. En général, le crétin c'était moi. Et maintenant la barque était là. Sur le ponton il y avait un banc, et sur ce banc je voyais la mère de Jon. Et mon père était assis à côté d'elle. Ils se serraient l'un contre l'autre. Mon père était rasé de frais et la mère de Jon avait la robe bleue à fleurs jaunes qu'elle portait pour aller au bourg. Sur ses épaules mon père lui avait mis sa veste, et il la tenait dans ses bras comme je l'avais fait vingt-quatre heures plus tôt. Mais il faisait quelque chose que je n'avais pas fait. Il l'embrassait, et je voyais qu'elle pleurait, mais ce n'était pas parce qu'il l'embrassait. Il l'aurait embrassée de toute façon, et de toute façon elle aurait pleuré.

À l'époque, je devais sans doute manquer d'imagination, et j'en manque peut-être toujours, mais ce qui se passait sur le banc de l'autre côté de la rivière m'a tellement surpris que j'en suis resté bouche bée. Je n'avais ni froid ni chaud, mais j'ai cru que ma tête allait éclater sous la pression du vide qui l'emplissait. Si on m'avait vu, on aurait sûrement pensé que je m'étais échappé d'une institution pour débiles mentaux.

J'aurais pu me dire que je m'étais trompé, que j'avais mal vu à cause de la distance qui me séparait de l'autre rive, que j'avais seulement entraperçu un homme en train de consoler une femme qui venait de perdre un fils et dont le mari était à l'hôpital à plusieurs dizaines de kilomètres de là. Mais c'était un drôle de moment pour le faire, et ce n'était quand même pas le Mississippi qui coulait devant mes yeux, ni le Danube ni le Rhin, ni même notre Glomma à nous, mais une rivière pas très grande qui partait en demi-cercle de la frontière suédoise pour traverser le village et retourner en Suède quelques kilomètres plus au sud. Si bien qu'on pouvait se dire que son eau était plus suédoise que norvégienne et se demander si elle avait un goût suédois quand on l'avalait. Et la rivière n'était même pas particulièrement large entre les deux pontons : le mien et celui où ils étaient assis.

Je ne m'étais pas trompé. Ils s'embrassaient comme s'il s'agissait d'une question de vie ou de mort. Je ne voulais pas les regarder, mais je ne pouvais pas m'en empêcher. Et j'ai essayé de penser à ma mère, comme il sied à un fils qui découvre ce que je venais de découvrir. Mais je n'y arrivais pas. Ma mère se dérobait, elle se dissolvait, elle n'avait rien à voir avec tout ça. Je me sentais de nouveau vide et j'ai continué à les fixer des yeux. Puis j'ai compris que je ne pouvais pas rester là. Me dissimulant derrière les joncs, je me suis levé et j'ai rejoint le sentier en veillant à ne pas faire craquer les planches du ponton. Au milieu du sentier je me suis retourné. J'ai vu qu'ils s'étaient levés aussi et qu'ils se dirigeaient vers la maison, main dans la main.

Je ne me suis plus retourné. J'ai marché dans l'herbe haute du pré, je suis arrivé au tournant où le sentier redevenait un chemin et je suis repassé devant l'étable où j'avais dormi. Tout ça me paraissait si loin maintenant. La lumière était différente, l'air était différent, le soleil éclairait la colline. Il faisait chaud. J'avais une étrange douleur à la gorge, ça me brûlait et me faisait mal, quelque chose cherchait à remonter, mais en déglutissant énergiquement j'arriverais peut-être à l'en empêcher. J'entendais les vaches sur la Montagne aux Pins qui n'était pas une montagne mais une simple colline couverte d'arbres jusqu'à la crête, il y avait des tintements de clochettes partout et probablement d'autres troupeaux à la recherche d'une herbe plus grasse. Arrivé près de la coupe, je me suis arrêté au bord du sentier qui conduisait à notre chalet, et j'ai tendu l'oreille. Maintenant qu'il n'y avait plus d'arbres, j'avais une vue panoramique sur la rivière, et je savais que si une barque la remontait je l'entendrais. Mais il n'y avait aucun bruit. Le chalet avait l'air moins hostile dans cette lumière, et rien ne m'empêchait d'y retourner. Je pourrais pénétrer dans la pièce commune, me couper un morceau de pain et me beurrer une tartine, car j'avais faim maintenant, mais j'ai continué à marcher en direction du pont et de la boutique. Il fallait vingt minutes pour les atteindre. Juste avant le pont, sur un rocher surplombant la rivière, se trouvait la maison de Franz. J'ai vu que la porte était ouverte et que le soleil éclairait le couloir. De la musique sortait d'une radio. Sans réfléchir j'ai pris l'allée gravillonnée et j'ai monté les trois marches devant l'entrée.

— Pour le petit déjeuner, c'est ici? ai-je crié.

— C'est bien ici, oui, a répondu une voix à l'intérieur.

9

Pendant toute la nuit, le vent continue de souffler. Je me réveille plusieurs fois et je l'écoute siffler contre les murs. C'est même peu dire ; il secoue la maison et fait gémir les vieux rondins. Des bruits m'assaillent de partout ; de la forêt s'élève une plainte aiguë et presque menaçante, et quelque part du côté de la remise j'entends un tintamarre de tôles suivi d'un fracas qui ne manque pas de m'inquiéter. Les yeux ouverts, je reste couché à regarder le plafond ; il fait chaud sous la couette et je n'ai pas du tout l'intention de me lever. Je me demande si les tuiles vont rester en place ou s'envoler dans la cour et abîmer ma voiture. Mais je décide qu'il n'y aura pas de dégâts et je finis par me rendormir.

Quand je me réveille de nouveau, ça souffle encore plus fort. On dirait que le pignon de la maison plonge dans une mer démontée ; les craquements et les bruits de ferraille ont laissé place à un profond grondement qui me rappelle celui d'un moteur de bateau. Dans l'obscurité, tout semble tanguer et se propulser en avant, la maison est pourvue de mâts et de lanternes et elle creuse un sillon d'écume. Ça me plaît, j'ai toujours aimé voyager en bateau, mais peut-être ne suis-je pas tout à fait réveillé.

Quand j'ouvre les yeux pour de bon, il est sept heures et demie. Pour moi, c'est tard, bien trop tard. La fenêtre laisse filtrer une aube grise, et tout paraît étrangement silencieux. Je ne bouge pas et je tends l'oreille. Du monde extérieur ne me parvient aucun son en dehors des pas assourdis de Lyra, qui traverse la cuisine vers son bol d'eau. L'univers était saturé de bruits, et il n'y en a plus un seul. Ne reste qu'une chienne patiente. Elle boit et déglutit, je l'entends parfaitement, puis elle émet un piaillement discret pour me dire qu'elle voudrait bien aller faire dehors ce qu'elle n'a pas le droit de faire dedans. Si ça ne me dérange pas trop.

Je sens que mon dos fait des siennes. Je me retourne sur le ventre et me glisse jusqu'au bord du lit, puis je pose les genoux par terre et me redresse péniblement. J'y arrive, mais je suis plein de courbatures après les travaux de la veille. Pieds nus, je traverse la cuisine, je passe devant la chienne et je vais dans le couloir.

— Viens, Lyra !

Elle me suit en trottinant. J'ouvre la porte d'entrée et la laisse sortir dans la semi-obscurité. Puis je retourne m'habiller et j'ouvre la huche à bois. Par chance il y a suffisamment de bûches. Je commence à allumer le poêle en essayant de faire les choses dans les règles. Contrairement à mon père je ne réussis jamais à l'allumer du premier coup, mais quand on n'est pas pressé, le feu finit toujours par prendre. Ma sœur, c'était encore pire que moi. Même avec du bois sec, des journaux et un poêle qui tirait bien, elle arrivait seulement à faire flamber le papier. Comment ça peut éclater, un incendie ? me demandait-elle. Tu peux me l'expliquer ? Elle me manque. Elle aussi, elle est morte il y a trois ans. Un cancer. Il n'y avait plus rien à faire, on l'avait diagnostiqué trop tard. Elle était devenue très amie avec ma femme. Toutes les deux, elles passaient souvent leurs soirées au téléphone à commenter la marche du monde. Parfois c'était sur moi qu'elles faisaient des commentaires, elles riaient à s'en décrocher la mâchoire en parlant du garçon aux culottes en or, comme elles m'appelaient. Tu as toujours eu des culottes en or, inutile de le nier, disaient-elles en rigolant. C'était ma sœur, je crois, qui avait inventé l'expression. Ça ne me dérangeait pas, leurs rires étaient sans méchanceté, elles avaient davantage le sens de l'humour que moi et aimaient bien me taquiner. Moi je suis d'un esprit plus sérieux, parfois trop sans doute. Et elles avaient raison, j'ai toujours eu de la chance. Mais ça, je l'ai déjà dit.

En l'espace d'un mois elles sont mortes toutes les deux. Depuis, je n'ai plus très envie de bavarder avec les gens. Je ne sais pas trop quoi leur dire. C'est en partie pour ça que je vis ici. Une autre raison, c'est la forêt. Il y a bien des années, elle avait pris dans ma vie une place que rien n'avait pu lui disputer. Et puis, pendant très longtemps, je n'y ai plus pensé. Mais quand le silence s'est fait autour de moi, j'ai compris à quel point elle m'avait manqué. C'était devenu une obsession; pour ne pas mourir moi aussi, il me fallait retrouver la forêt. C'est le sentiment que j'ai eu; c'était aussi simple que ça. Et ça n'a pas changé.

J'allume la radio et je prends les actualités en cours de route. Les bombes russes pleuvent sur Grozny. Voilà que ça recommence. Mais ils ne vaincront jamais, pas à long terme en tout cas. Tolstoï, déjà, l'avait compris dans *Hadji Murat*, et son livre date d'il y a cent ans. C'est tout de même incroyable que les grandes puissances n'aient pas retenu la leçon, qu'elles n'aient pas compris qu'elles finiront par s'écrouler. Mais, bien sûr, on peut toujours détruire la

125

Tchétchénie. C'est même plus facile aujourd'hui qu'il y a cent ans.

Dans le poêle, le feu crépite agréablement. J'ouvre la panetière, je me coupe deux tranches de pain et je mets de l'eau à bouillir pour le café. Puis j'entends le petit aboiement aigu de Lyra devant la porte. C'est sa manière à elle d'appuyer sur la sonnette ; ça ne ressemble en rien aux autres sons qu'elle émet. Je la fais entrer. Elle se couche près du poêle, qui commence à chauffer. Je mets la table pour le petit déjeuner et je prépare le bol de Lyra, mais elle attendra son tour. C'est moi le chef. C'est moi qui mange le premier.

Le jour commence à poindre au-dessus de la forêt. Je me penche en avant pour jeter un œil par la fenêtre, et ce que je vois me flanque un coup. Mon arbre, le vieux bouleau de la cour, gît entre ma voiture et la remise, abattu par le vent. Immense et presque irréel, il étend ses plus hautes branches jusqu'à la fenêtre de la cuisine. D'autres branches recouvrent la galerie de ma voiture et d'autres encore ont arraché la gouttière de la remise, qui forme maintenant un grand V et barre l'accès à l'abri à bois. Heureusement que j'ai rempli la huche.

Voilà qui explique les bruits de cette nuit. Machinalement, je me lève et je m'apprête à sortir, mais ça ne sert plus à rien. Le bouleau ne va pas s'en aller. Alors je m'assieds de nouveau, je continue de manger et je réfléchis à la façon de me débarrasser de ce géant qui repose maintenant dans ma cour. Dans un premier temps il va falloir dégager ma voiture, bien sûr, et la garer ailleurs. Mais d'abord il faut s'occuper des branches. De celles qui obstruent l'abri à bois aussi, pour voir s'il est possible d'y pénétrer. Du bois, il m'en faut, et je ne peux pas me passer de la voiture. Ce sont les deux choses les plus importantes. Il va falloir affûter la chaîne de la tronçonneuse, après m'en être servi toute la journée d'hier ça me paraît indispensable, et je risque de manquer d'huile et d'essence. Il faut que je vérifie s'il m'en reste ; je ne m'en souviens plus. Et pour aller en acheter il faut prendre la voiture, qui doit être coincée. Je commence à paniquer, je me demande bien pourquoi. Ce n'est tout de même pas une situation de crise. Je suis là de mon plein gré. Le réfrigérateur est rempli, il y a de l'eau au robinet, je peux marcher aussi loin que je veux, je suis en pleine forme et j'ai tout mon temps. Mais est-ce vraiment le cas ? Je n'en ai pas le sentiment. Je n'en ai pas du tout le sentiment. Soudain je me sens prisonnier. Le fait est que je peux mourir à n'importe quel moment, voilà le problème, mais ça, je le sais depuis trois ans au moins, et jusqu'à présent j'ai toujours refusé d'y penser. Je regarde le bouleau. Il envahit presque entièrement la cour et jette des ombres partout. Je me lève d'un mouvement brusque, je retourne dans la chambre et je m'allonge tout habillé sur le lit, ce qui est absolument contraire aux règles que je m'impose. Je fixe le plafond et les pensées commencent à tourner dans ma tête comme la roulette d'une table de jeu, la petite boule saute du rouge au noir et finit par se poser sur une case. Et la case, c'est celle de l'été 1948, bien sûr. Ou plutôt celle du jour qui devait en marquer la fin. J'étais debout sous le chêne devant la boutique. En levant le regard je voyais les rayons du soleil filtrer à travers le feuillage que le vent faisait frémir. Les brefs éclats de lumière m'éblouissaient et m'obligeaient à battre des paupières, mes larmes ont commencé à couler et j'ai dû fermer les yeux. Je sentais une chaleur rouge se répandre sous mes paupières, j'entendais la rivière bruire derrière moi comme chaque jour depuis presque deux mois et je me suis demandé ce qui allait m'arriver maintenant, quand je ne l'entendrais plus.

Il faisait chaud sous le chêne. J'étais fatigué. Nous nous étions levés tôt et nous avions pris notre petit déjeuner sans presque nous adresser la parole. Puis nous avions quitté le chalet et remonté le chemin de terre jusqu'au pont en passant devant la maison de Franz, où le soleil éclairait le couloir par la porte ouverte et frappait le mur de ses rayons obliques. Mais lui, je ne le voyais nulle part, et ça me faisait de la peine.

Le car était arrêté, mais le moteur diesel tournait et le faisait vibrer sous le soleil. Je devais quitter le village et rentrer à Oslo par le train d'Elverum. Mon père se tenait derrière moi, une main posée sur ma tête. M'ébouriffant les cheveux, il s'est penché vers moi :

— Tout va bien se passer. Tu sais que tu dois descendre à la gare d'Elverum, tu sais sur quel quai tu dois prendre ton train, tu connais l'heure du départ.

Et il continuait de parler en ajoutant sans cesse des détails. À tout ça, il semblait accorder la plus grande importance, comme si à quinze ans je n'étais pas capable de voyager seul sans ses recommandations. En réalité je me sentais même plus âgé, mais je n'avais aucun moyen de le prouver. Et si j'avais pu le prouver, il aurait sans doute refusé de l'admettre.

— Ça n'a pas été un été ordinaire, a-t-il dit ; nous sommes bien d'accord.

Il se tenait toujours derrière moi, une main dans mes cheveux, mais il avait cessé de les ébouriffer. Il se contentait de les empoigner si fort que ça me faisait presque mal. Je crois qu'il ne s'en rendait même pas compte, mais je n'ai rien dit. Il s'est de nouveau penché vers moi :

— Mais c'est ça, la vie. C'est comme ça qu'on apprend.

Surtout à ton âge. Il ne faut pas essayer de s'y soustraire, il faut y réfléchir, ne rien oublier et ne pas devenir amer surtout. Rien ne t'interdit d'y réfléchir. Tu comprends ?

— Oui, ai-je répondu bien fort.

Il a encore dit « Tu comprends ? », j'ai encore répondu « oui » en hochant la tête et c'est alors qu'il s'est rendu compte qu'il me faisait mal. Il m'a lâché les cheveux avec un petit rire dont la signification m'échappait, puisque je ne voyais pas son visage. J'entendais ses paroles, mais je n'étais pas certain d'en saisir le sens. Comment aurais-je pu, d'ailleurs ? J'ignore pourquoi il a dit ces phrases-là, précisément. Mais j'y ai pensé des milliers de fois, car ensuite il m'a pris par l'épaule pour que je me retourne, et il m'a de nouveau passé la main dans les cheveux tout en me regardant, les yeux plissés, avec ce petit sourire qui me plaisait tant.

— Maintenant tu vas monter dans ce car, puis tu vas prendre le train à Elverum et rentrer à Oslo. De mon côté je vais finir ce que j'ai à faire, et ensuite je te rejoindrai. Ça te va ?

— Oui, ai-je dit. Ça me va.

Et j'ai eu un frisson dans le bas-ventre, car ça ne m'allait pas du tout. J'avais déjà entendu ces mots, et pendant longtemps je n'ai cessé de me poser des questions. S'est-il passé quelque chose d'imprévu, ou savait-il déjà qu'il ne me rejoindrait jamais ? Savait-il que nous venions de nous voir pour la dernière fois ?

Bien sûr, je suis monté dans le car. Et une fois installé avec mon sac sur les genoux, je me suis retourné pour ne pas lâcher des yeux la boutique et le pont qui enjambait la rivière et mon père qui se tenait dans l'ombre mouvante du chêne, grand et brun et maigre. Et le ciel, qui n'avait jamais été plus vaste et plus bleu que pendant cet été 1948, au-dessus de ce village. Et le car a démarré en faisant un grand virage pour rejoindre la route. Le nez collé à la vitre, je regardais le nuage de poussière que soulevait le car, je voyais mon père disparaître dans un tourbillon de gris et de marron, et j'ai fait tout ce qu'on doit faire dans une situation pareille, dans une scène comme ça. Je me suis précipité dans le couloir entre les sièges, j'ai couru jusqu'au fond du car, j'ai grimpé sur la banquette arrière et j'ai posé mes mains sur la vitre. Et j'ai vu la boutique et le chêne s'éloigner, et le tournant a fini par masquer mon père. Comme dans un de ces films que nous avons tous vus, et dont la grande scène d'adieu change à tout jamais le destin du héros : à partir de là, sa vie prend une direction inattendue, parfois tragique, mais tous les spectateurs ont déjà deviné la suite. Et certains tiennent leur main devant la bouche, d'autres mordent dans leur mouchoir et essaient de retenir leurs larmes, d'autres encore ont la gorge serrée et déglutissent en vain et plissent les yeux devant l'écran, et l'image se dissout dans un enchevêtrement de couleurs. Mais il y en a aussi qui se mettent en colère et font mine de vouloir quitter la salle, car ils ont vécu une situation semblable et ne sont pas près de l'oublier. Et dans l'obscurité, un de ceux-là bondit de son fauteuil et hurle « espèce de connard » à l'adresse de l'homme sous le chêne dont on ne voit plus que la nuque. Il le fait en son propre nom, mais aussi pour moi. Et je le remercie de son soutien. Mais le jour de mon départ je ne pouvais pas savoir ce qui allait se passer. Personne ne me l'avait dit. Et je ne possédais pas les clés pour décrypter la scène que je venais de vivre. En proie à une agitation aussi soudaine qu'inutile je courais entre mon siège et la vitre arrière, je m'asseyais, je me relevais, j'arpentais le couloir, je m'asseyais sur un autre siège et je me relevais de nouveau. Tant que je suis resté seul dans le car, j'ai continué mon manège. Je voyais le chauffeur me suivre du regard dans le rétroviseur. La route était sinueuse ; manifestement je l'énervais, mais il n'a pas pu s'empêcher de me fixer des yeux et il n'a rien dit. Puis, à mi-chemin du bourg, deux familles sont montées ; c'était à l'endroit où la rivière tournait pour s'éloigner parmi les arbres en direction de la Suède. Il y avait plein d'enfants et de chiens et de bagages, et même une bonne femme avec une poule en cage. La poule n'a pas cessé de caqueter, et je me suis forcé à rester assis sur mon siège. J'ai fini par m'endormir, la tête contre la vitre qui vibrait. Et le bruit du moteur bourdonnait dans mes oreilles.

J'ouvre les yeux. Ma tête contre l'oreiller me paraît lourde. J'ai dû dormir. Je lève le bras et regarde ma montre. Rien qu'une demi-heure, mais ce n'est pas dans mes habitudes. Je venais seulement de me lever, en retard qui plus est. J'étais donc fatigué à ce point ?

Je vois à la fenêtre qu'il fait tout à fait jour. Je me redresse vivement en glissant mes jambes hors du lit, mais la tête me tourne et je tombe en avant. Impossible de retrouver l'équilibre, je vois trente-six chandelles et mon épaule heurte le plancher. Je m'entends pousser un gémissement aigu. Me voilà par terre. Et en plus, j'ai mal. Merde. Je respire avec précaution, sans forcer. Ce n'est pas facile. Je suis trop jeune pour mourir. Je n'ai que soixante-sept ans, je suis en forme. Trois fois par jour je me promène avec Lyra, je mange sainement, il y a vingt ans que j'ai arrêté de fumer. Ça devrait suffire. En tout cas je ne veux pas mourir comme ça, par terre. Il faudrait que j'essaie de bouger, mais je n'ose pas. Que faire si jamais je n'y arrive pas ? Je n'ai même pas le téléphone. Je ne l'ai toujours pas fait installer, je ne veux pas être joignable. Mais le problème, bien sûr, c'est que je ne peux joindre personne. Maintenant, ça m'embête.

Je ferme les yeux et je ne bouge pas. Le plancher est froid contre ma joue. Il sent la poussière. J'entends Lyra respirer près du poêle. L'heure de sa promenade est passée depuis longtemps, mais elle est patiente et ne me harcèle pas. J'éprouve une légère nausée. C'est peut-être un symptôme. C'est censé m'avertir de quelque chose. Mais ça ne m'avertit de rien du tout. Ce n'est qu'une nausée. Alors je m'énerve, je serre les paupières et je me concentre. Je me recroqueville, je m'agrippe au chambranle, et je me redresse lentement. J'ai les genoux qui flageolent, mais j'y parviens. Le temps que la sensation de vertige s'estompe je garde les yeux fermés, puis je les ouvre et je vois Lyra debout devant moi dans la cuisine. De ses bons yeux intelligents elle m'observe attentivement.

— Good dog, dis-je sans la moindre honte. Viens, on va se promener.

Et c'est ce que nous faisons. D'un pas un peu chancelant je vais dans le couloir et je mets ma veste. Je la boutonne sans trop de difficultés, puis j'enfile mes bottes posées devant la porte. Lyra trotte derrière moi, et j'écoute attentivement mon corps en espérant qu'il n'y a rien de déréglé à l'intérieur de cette fine mécanique qu'est l'organisme humain, même vieux. Mais comment en être sûr ? En dehors de la nausée et de la douleur à l'épaule, tout paraît normal. Je ressens peut-être une légère euphorie, mais comme je viens de me relever après avoir été mis K.-O., ça n'a sans doute rien d'étonnant.

J'essaie d'ignorer le bouleau, ce qui n'est pas simple ; j'ai beau me tourner dans tous les sens, il n'y a pas grand-chose d'autre qui attire le regard. Je plisse les yeux et rase le mur de la maison en contournant ses branches. Après en avoir replié quelques-unes, je réussis à gagner le sentier. Tournant le dos à la maison, je commence à descendre vers le lac et le chalet de Lars. Lyra me précède, tache jaune et bondissante sur le sentier. Devant le pont je m'engage sur le sentier qui longe la rivière, et je m'arrête près de l'embouchure. Novembre. J'aperçois le banc où j'étais assis hier soir et deux cygnes pâles sur les eaux grises du lac et les arbres nus dans le pâle soleil du matin et la forêt d'un vert mat qui émerge de la brume laiteuse sur l'autre rive. Un silence inhabituel, comme celui des dimanches matin quand j'étais petit, ou des Vendredis saints. Un claquement de doigts, comme un coup de fusil. Mais j'entends la respiration de Lyra dans mon dos ; le soleil blond me blesse les yeux, ma nausée revient, je me penche en avant et je vomis dans l'herbe morte à côté du sentier. Je ferme les yeux, la tête me tourne, je ne me sens pas bien. J'ouvre de nouveau les yeux. Lyra s'est arrêtée pour m'observer. Puis elle s'approche et se met à renifler mes vomissures.

— Non, touche pas à ça !

Je suis surpris par mon ton sec. Elle fait demi-tour et poursuit son chemin. Puis elle s'arrête et me regarde avec impatience, la langue pendante.

— Oui, oui, dis-je d'une voix faiblarde, on va continuer.

Je me remets à marcher. Ma nausée s'est un peu atténuée ; en marchant lentement j'arriverai bien à faire le tour du lac. Mais soudain je m'interroge : je n'en suis pas si sûr. Je m'essuie la bouche et le front avec mon mouchoir, puis je m'approche de la lisière des joncs et je m'affale sur le banc. Voilà que j'y suis de nouveau assis. Un cygne s'apprête à se poser. Bientôt le lac sera pris dans les glaces.

Je ferme les yeux. Soudain je me rappelle mon rêve de cette nuit. C'est étrange ; à mon réveil il s'était évanoui, et maintenant je le revois distinctement. J'étais dans une chambre à coucher avec ma première femme et nous n'avions pas encore quarante ans; ça, j'en suis sûr, mon corps me le disait. Nous venions de faire l'amour, je m'étais appliqué et je lui avais donné du plaisir, du moins je le croyais. Elle était allongée dans le lit et j'étais debout devant une coiffeuse dont la glace reflétait mon corps, mais pas ma tête. Dans mon rêve j'étais assez beau, mieux que dans la réalité. Elle a rabattu la couette, elle était nue et elle n'était pas mal non plus, vraiment belle, mais j'avais l'impression de découvrir une étrangère à la place de la femme que j'avais tenue dans mes bras. Elle m'a regardé avec cette expression que j'avais toujours eu peur de voir un jour sur son visage :

— Tu n'es qu'un parmi d'autres, a-t-elle dit.

Puis elle s'est redressée. Elle était de nouveau celle que je connaissais, nue et lourde, et j'ai senti l'écœurement me monter à la gorge.

— Pour moi, tu n'es pas une parmi d'autres! ai-je crié, pris de panique.

Et je me suis mis à pleurer, car j'avais toujours su que ce jour-là viendrait. Et j'ai compris que rien ne me faisait aussi peur que de me voir transformé en un personnage de Magritte : celui qui se regarde dans une glace et découvre que sa nuque s'y reflète à l'infini.

II

10

Franz et moi étions assis dans la cuisine de sa petite maison sur le rocher près de la rivière. Le soleil brillait à travers la fenêtre, et sa lumière presque blanche éclairait nos assiettes blanches et nos tasses blanches remplies de café ambré. Franz avait remis la cafetière sur la cuisinière où il entretenait le feu été comme hiver, disait-il, mais en ouvrant les fenêtres pendant la belle saison. Comme souvent dans la région, les murs de la cuisine étaient peints en bleu ; on prétendait que ça éloignait les mouches, et c'était peut-être vrai. Et Franz avait lui-même fabriqué tous ses meubles. Je me plaisais bien dans cette cuisine. J'ai versé une goutte de lait dans mon café. Du coup il paraissait plus terne, d'une pâleur semblable à celle de la lumière, et ça le rendait moins fort. Et j'ai plissé les yeux en regardant la rivière qui coulait devant la fenêtre. Elle scintillait comme un déluge d'étoiles, comme la voie lactée en automne, quand sa cataracte d'écume dessine des volutes sans fin dans la nuit et que vous la contemplez au milieu de la vaste obscurité, couché sur les rochers près du fjord, avec la dureté de la pierre contre votre dos. Et vous la regardez jusqu'à en avoir mal aux yeux, et le poids de l'univers tout entier pèse sur votre poitrine et vous empêche de respirer. Ou alors vous avez l'impression de vous faire aspirer comme une petite poussière de chair humaine et de vous évanouir à tout jamais dans le vide infini. D'ailleurs, rien que d'y penser, vous vous sentez déjà disparaître un peu.

Je me suis retourné et j'ai regardé l'étoile rouge sur l'avant-bras de Franz. Elle flamboyait au soleil et se déployait comme l'emblème d'un drapeau à chaque fois qu'il bougeait les doigts ou serrait le poing. Ce qu'il faisait souvent. Il était probablement communiste. Beaucoup d'ouvriers forestiers étaient communistes, m'avait dit mon père. Et il y avait des raisons à ça.

Voici ce que Franz m'a raconté.

Ça s'était passé en 1942. Mon père avait traversé la forêt du nord au sud, à la recherche d'un lieu où il pouvait se cacher. Il lui fallait un endroit assez proche de la frontière, car il avait besoin de se rendre en Suède avec des documents et des films destinés à la Résistance, et il devait pouvoir revenir sans difficulté après avoir accompli sa mission et effacé ses traces. Un endroit qu'il pourrait utiliser à plusieurs reprises. Il n'était pas pressé. Il n'était pas en fuite à ce moment-là ; il n'en donnait pas l'impression, en tout cas. Il ne cherchait pas à passer inaperçu et se montrait aimable et chaleureux envers tout le monde. Ce qu'il lui fallait, disait-il, c'était un endroit où il pouvait réfléchir. Et personne n'avait semblé mettre en doute cette explication. Il venait de l'*intérieur*. Tu as été à l'*intérieur*? disaient les gens à ceux qui revenaient au village et qui étaient peut-être même allés jusqu'à la capitale. Après ça, on était différent. Tout le monde le savait. Donc, c'était simple : il voulait un endroit pour réfléchir. Les autres, ils se contentaient de réfléchir là où ils étaient. Mais ses paroles ne souffraient aucune discussion.

Seul Franz savait à quoi l'endroit devait réellement servir. Chacun connaissait l'existence de l'autre, mais ils ne s'étaient jamais rencontrés. Jusqu'au jour où mon père a frappé à la porte de Franz et prononcé le mot de passe :
— Tu viens ? On va voler des chevaux.

Je me suis retourné et j'ai regardé Franz :
— Quoi ? Qu'est-ce qu'il a dit ?
— Il a dit « on va voler des chevaux ». Je ne sais pas qui a eu l'idée de cette phrase. Ton père, peut-être. En tout cas, ce n'était pas moi. Mais je savais qu'il allait dire ça. Quelqu'un était venu du bourg par le car pour me prévenir.
— Ah.
— Je l'ai tout de suite trouvé sympathique, ça c'est sûr.

Qui ne le trouvait pas sympathique ? Les hommes le trouvaient sympathique, les femmes le trouvaient sympathique, tout le monde le trouvait sympathique. Sauf le père de Jon peut-être, mais ça, c'était pour des raisons bien particulières. Et j'imaginais qu'au fond ils n'avaient rien l'un contre l'autre ; dans d'autres circonstances ils auraient sans doute pu être amis. Un homme qui plaît à tout le monde, c'est souvent quelqu'un de mou et d'inconstant, quelqu'un qui cherche à tout prix à éviter les conflits ; c'est ce que j'ai remarqué. Or ce n'était pas le cas de mon père. Certes, il aimait rire et il était toujours souriant, mais c'était dans sa nature ; ça n'avait rien à voir avec un désir de séduire. Avec moi, en tout cas, il ne cherchait pas particulièrement à le faire, et pourtant il me plaisait beaucoup, même si je me sentais parfois un peu embarrassé en face de lui. Mais c'était sans doute parce que je ne le connaissais pas comme un fils aurait dû connaître son père. Pendant des années il avait souvent été absent ; après l'arrivée des Allemands je pouvais passer des mois sans le voir, et quand il revenait brièvement et se promenait dans les rues comme un homme ordinaire, il me paraissait différent, sans que je n'aie jamais pu m'expliquer en quoi consistait cette différence. Mais à chaque fois il paraissait un peu changé, et j'étais obligé de faire un gros effort pour empêcher son image de se brouiller.

Malgré cela, je n'ai jamais douté de la place que nous occupions dans son cœur, ma sœur et moi ; moi surtout, puisque j'étais un garçon et lui un homme. Et j'ai toujours été persuadé qu'il pensait souvent à moi quand il n'était pas là. Comme lorsqu'il est arrivé dans ce village en 1942, alors que j'étais à la maison, près du fjord d'Oslo, et que j'allais à l'école et passais mes journées à rêver des voyages que nous ferions tous les deux quand les Allemands auraient été chassés du pays, tandis que lui était à la recherche d'un endroit pour réfléchir, comme il disait. D'un endroit qui lui servirait de cachette et de base pour passer en Suède avec des documents pour la Résistance, et parfois avec des films.

C'était Franz qui avait montré à mon père le chalet d'alpage. Il était à l'abandon depuis quatre ans, suite à une adjudication forcée qui s'était déroulée avant la guerre. À l'époque, c'était Barkald qui avait tout raflé, à un prix dérisoire, bien entendu. L'alpage était donc à lui, mais il ne s'en servait pas et laissait les bâtiments tomber en ruine ; l'étable s'était déjà écroulée, mais de toute façon elle n'abritait plus aucun troupeau. L'endroit avait tout de suite plu à mon père. D'autant qu'il se trouvait à l'est de la rivière, à vingt minutes à pied du pont le plus proche, et qu'au-delà du chalet, jusqu'à la frontière suédoise, il n'y avait plus une seule maison, pas même une cabane de bûcheron. Mais ce n'était pas tout. D'après Franz, mon père aimait bien y passer son temps. Il aimait s'occuper des travaux nécessaires pour redonner à l'endroit une apparence normale et ne pas éveiller les soupçons : couper l'herbe, démolir et brûler ce qui restait de l'étable, empiler les vieilles tuiles, débroussailler les berges de la rivière, remettre en état la volige et la toiture, remplacer les vitres cassées. Il avait mastiqué le poêle. Il avait ramoné la cheminée. Il avait fabriqué deux nouvelles chaises. Toutes sortes de travaux pour lesquels il était doué mais auxquels il n'avait ni le temps ni la possibilité de se consacrer à Oslo, où nous étions locataires d'un trois pièces-cuisine au premier étage d'une ancienne villa près de la gare de Ljan avec vue sur le Bunnefjord et le fjord d'Oslo.

Il n'avait pas prévu d'y passer beaucoup de temps à la fois, juste assez pour que les gens s'habituent à le voir là-bas de l'autre côté de la rivière, quand il escaladait le toit, s'activait dans la cour ou s'asseyait sur un rocher près de la rivière, pour réfléchir, comme il disait. Car pour réfléchir, il lui fallait la proximité de l'eau. Ça pouvait paraître bizarre, mais personne n'y trouvait à redire. Et quand le car arrivait d'Elverum et du bourg, on le voyait traverser le pré de Barkald pour se rendre à la boutique avec son sac à dos vide, et on le voyait revenir avec ses provisions. Et avec autre chose aussi. Mais à chaque retour de Suède, quand il franchissait la frontière de nuit après avoir livré ce qu'il devait livrer à qui de droit, il se disait qu'il y avait encore des travaux à faire avant de repartir à Oslo. Et il finissait par rester encore un peu, pour couper l'herbe une dernière fois ou réparer la cheminée, car elle s'était fendue sur toute la hauteur et risquait de s'écrouler, et si les briques tombaient, elles pouvaient blesser quelqu'un. Et en l'espace de deux ans il s'était fabriqué une existence parallèle dont sa famille à Oslo ne savait rien. Pourtant, lorsque Franz m'a raconté comment mon père, dernier maillon d'un réseau de passeurs, s'était installé dans le chalet délabré de Barkald pour se mettre à l'abri des regards et se livrer à ce qu'ils appelaient le « trafic » avec la Suède alors que la Norvège était occupée depuis deux ans, je ne me suis peut-être pas représenté les choses comme ça : il m'a fallu bien des années pour comprendre que c'était ainsi qu'il avait dû les vivre. Il passait autant de temps dans ce village près de la rivière qu'avec nous près du Bunnefjord. Mais nous l'ignorions, et nous devions impérativement continuer à l'ignorer. Nous ignorions qu'en partant il se rendait toujours au même endroit, et nous ignorions où se trouvait cet endroit. Nous n'avons jamais su où il était. Il disparaissait, puis il revenait. Pendant une semaine, pendant un mois. Et nous nous habituions à vivre avec son absence, au jour le jour, semaine après semaine. Mais je n'ai jamais cessé de penser à lui.

Tout ce que m'a raconté Franz était nouveau pour moi, mais je n'avais aucune raison de le mettre en doute. En l'écoutant je me suis demandé pourquoi c'était lui qui m'apprenait tout ça, alors que mon père ne m'avait jamais dit un mot de ce qui s'était passé à cette époque. Mais j'ai hésité à poser la question à Franz, car je n'étais pas sûr d'obtenir une réponse satisfaisante : il devait sans doute s'imaginer que je connaissais l'histoire et prenais plaisir à l'entendre racontée d'un autre point de vue. Je me suis également demandé pourquoi ni mon copain Jon, ni sa mère, ni son père, ni Barkald, ni l'homme de la boutique avec qui je bavardais souvent ne m'en avaient parlé, pourquoi personne n'avait mentionné devant moi que mon père était venu dans ce village quatre ans plus tôt et y avait passé tant de temps qu'on avait presque fini par le considérer comme un autochtone, même s'il habitait de l'autre côté de la rivière, où se trouvaient les alpages. Mais je n'ai pas non plus posé la question à Franz.

Une patrouille allemande avait pris ses quartiers dans une ferme près de l'église et de la boutique. Elle avait réquisitionné la maison principale, obligeant toute la famille à s'installer dans celle des grands-parents qui n'était déjà pas très vaste. Souvent, mais pas toujours, une sentinelle se tenait près du pont, la mitraillette en bandoulière et la cigarette au bec quand ses supérieurs avaient le regard détourné. L'homme s'asseyait parfois sur un rocher et posait sa mitraillette devant lui. Il enlevait son casque, découvrant ses cheveux aplatis, et se grattait longuement la tête tout en fumant. Son regard se perdait dans le vide entre ses genoux et ses bottes cirées, et le mégot finissait par lui brûler les doigts, mais il n'avait pas le courage de se relever. Derrière lui les rapides grondaient ; à ses oreilles, leur bruit était toujours le même, et il s'ennuyait à mourir. Ici il ne se passait rien, la guerre était ailleurs. Mais c'était quand même mieux que de se retrouver sur le front de l'Est.

Quand mon père revenait par ce chemin, il s'arrêtait toujours sur l'étroite route en terre battue pour bavarder avec la sentinelle avant de s'engager sur le pont et passer devant la maison de Franz. Comme beaucoup de gens de sa génération, il parlait assez bien l'allemand ; jusque dans les années soixante-dix c'était encore une matière obligatoire au lycée. Les sentinelles changeaient d'un jour à l'autre, mais elles se ressemblaient toutes et peu de gens étaient capables de les distinguer les unes des autres ; la plupart s'en fichaient d'ailleurs, faisaient semblant de les ignorer et oubliaient soudain leur allemand. Mais mon père n'avait pas tardé à apprendre d'où venaient les soldats, s'ils avaient une femme en Allemagne, s'ils préféraient le football ou l'athlétisme ou la natation, si leur mère leur manquait. Ils avaient quinze ou vingt ans de moins que lui, parfois ils étaient plus jeunes encore, et mon père leur parlait sur un ton plein de sollicitude, ce qui n'était pas le cas de tout le monde. De sa fenêtre, Franz le voyait se tenir devant l'homme en uniforme vert-de-gris, qui n'était qu'un gosse ; l'un sortait son paquet de cigarettes, l'autre proposait du feu en tenant l'allumette au creux de sa main malgré l'absence de vent, et tous les deux se penchaient d'un air complice au-dessus de la flamme ; le soir, leurs visages prenaient des reflets dorés, et ils restaient là à bavarder et à fumer dans l'air immobile en attendant le moment où il leur faudrait écraser leurs mégots sous leurs bottes. Et mon père levait la main et disait « gute Nacht », et il s'entendait gratifier d'un « gute Nacht » en retour. Puis il traversait le pont en souriant tout seul avant de poursuivre son chemin jusqu'au chalet avec son vieux sac à dos élimé et ce qu'il y avait dedans. Et il savait qu'il ne fallait pas esquisser le moindre geste imprévu, ni se retourner, ni se mettre à courir, car le gentil petit Allemand ne manquerait pas de le mettre en joue avec sa mitraillette et de crier : « Halt ! » Et s'il refusait d'obtempérer, il recevrait une rafale dans le dos et y laisserait sa peau.

Il lui arrivait aussi de prendre la route principale avec un sac plus rempli, et d'obliquer par les prés jusqu'à la clôture de Barkald avant de traverser la rivière à la rame. Il saluait tous ceux qu'il croisait, Allemands comme Norvégiens, et personne ne lui posait de questions. Ils le connaissaient tous, c'était le type chargé de remettre en état le chalet de Barkald, ils s'étaient renseignés auprès de ce dernier, qui l'avait confirmé, et ils s'étaient rendus à trois reprises dans le chalet où ils avaient découvert plein d'outils et deux livres de Hamsun, *Pan* et *la Faim,* qui ne les avaient pas inquiétés. Rien de suspect. C'était un type qui quittait le village à intervalles réguliers et restait absent un bon moment, car il faisait d'autres travaux du même genre. Et tous ses papiers étaient en règle.

Pendant deux ans, mon père a assuré la liaison, été comme hiver. Quand il n'était pas là, quelqu'un du village traversait la frontière à sa place ; parfois c'était Franz, parfois la mère de Jon, quand elle arrivait à se libérer. Ce n'était pourtant pas sans risques pour eux, car dans le village tout le monde savait tout sur tout le monde, et ce qui sortait de l'ordinaire était soigneusement enregistré pour éventuellement être utilisé plus tard contre quelqu'un. Mais il finissait toujours par revenir, et ceux qui ne devaient pas être au courant continuaient à tout ignorer. Moi par exemple, et ma mère et ma sœur. Parfois il allait lui-même chercher le « courrier » directement au car, ou à la boutique avant ou après la fermeture ; parfois c'était la mère de Jon qui s'en chargeait et le lui apportait quand elle traversait la rivière pour lui faire à manger. Ce qu'elle faisait souvent, à la demande de Barkald, car il fallait bien nourrir l'ouvrier. Ou plutôt il fallait donner le change. Comme si l'ouvrier ne savait pas se faire à manger tout seul, et qu'il lui fallait une femme pour s'occuper de lui. J'ai été un peu étonné d'apprendre qu'il avait besoin d'aide pour ce genre de choses, alors qu'il se débrouillait très bien pour tout le reste. En réalité, quand il y était obligé, il cuisinait aussi bien que ma mère ; j'avais pu m'en rendre compte à plusieurs reprises. Mais il devait être un peu flemmard : quand nous étions seuls tous les deux, nous nous contentions de « nourritures simples », comme il disait. Des œufs au plat, en général. Je n'avais rien contre. En revanche, quand c'était ma mère qui faisait la cuisine, nous avions droit à ce qu'elle appelait des « repas complets ». Du moins quand nous avions de l'argent. Ce qui n'était pas toujours le cas.

Mais une ou deux fois par semaine, la mère de Jon traversait la rivière à la rame, avec ou sans provisions, avec ou sans « courrier », pour servir de cuisinière à mon père et lui permettre de manger un repas complet de temps à autre. Sinon il risquerait de tomber malade à force d'avaler n'importe quoi, comme font les hommes qui vivent seuls, et il serait incapable de faire le travail pour lequel on l'avait embauché. C'était en tout cas ce que racontait Barkald quand il bavardait avec les gens à la boutique.

Le père de Jon ne faisait pas partie du réseau. Il n'y était pas hostile, jamais on ne l'avait entendu dire ça, pas Franz en tout cas, mais il ne voulait rien savoir du « trafic ». Chaque fois qu'il se passait quelque chose, il détournait le regard, comme lorsque sa femme descendait vers la rivière, son panier au bras, et s'apprêtait à rejoindre mon père dans sa barque rouge. Même quand on a discrètement fait entrer dans sa grange un inconnu coiffé d'un chapeau de citadin et serrant dans ses bras une valise entourée d'une sangle, il n'a rien voulu voir. L'inconnu est resté assis sur une roue de carriole, hagard et muet dans ses vêtements incongrus, en attendant la tombée de la nuit. Et quand on l'a fait sortir dans la cour et monter dans la barque pour l'amener en amont, sans un bruit, sans un mot, le père de Jon s'est bien gardé de faire le moindre commentaire. Et cet homme n'était que le premier, car désormais ce n'était plus seulement du courrier que l'on faisait passer en Suède.

C'était la fin de l'automne, il y avait de la neige, mais la rivière était libre de glace et encore navigable. C'était une chance, car un matin à potron-minet, comme disait Franz, on a déposé un homme sur la route. Il faisait nuit, et l'homme a marché dans la neige avec son sac à dos jusqu'à la cour de la ferme. Il portait des chaussures d'été aux semelles fines et il grelottait dans ses vêtements légers ; quand la mère de Jon est sortie sur le pas de la porte avec un châle sur les épaules et une couverture sur le bras, elle a vu ses jambes trembler si fort que son large pantalon ondulait à partir de ses hanches et jusque sur ses chaussures. C'était un drôle de spectacle, a-t-elle dit à Franz quand elle est rentrée de Suède en mai 1945 ; on aurait dit un numéro de cirque. Elle a donné la couverture à l'homme, puis elle l'a conduit jusqu'à la grange où il devait se cacher dans le foin tant qu'il faisait encore jour. Il y avait douze heures à attendre, car la nuit commençait à tomber aux alentours de cinq heures de l'après-midi et il était arrivé à cinq heures du matin. Mais l'homme n'a pas tenu le coup. Il a dû perdre la boule, a dit la mère de Jon : vers deux heures il a été pris d'un accès de folie. Il s'est mis à pousser de drôles de cris, puis il s'est emparé d'un tube en fer et il a commencé à taper sur tout ce qu'il voyait. Les copeaux de bois volaient et il a brisé plusieurs essieux de la charrette à foin. On l'entendait dans la cour et sans doute jusqu'à la rivière, car l'air était immobile et les sons devaient facilement porter au-dessus de l'eau. On l'entendait peut-être même sur la route, où les Allemands patrouillaient au moins deux ou trois fois par jour pour ne pas relâcher leur surveillance. Et les bêtes ont commencé à s'agiter. Bramina hennissait et donnait des coups de pied dans son box, et les vaches meuglaient et voulaient rejoindre les pâturages, comme si le printemps approchait. Il fallait faire quelque chose, et vite.

Il fallait le faire sortir de là. Il fallait lui faire remonter la rivière tout de suite. Mais on était en plein jour et on voyait tout entre les arbres nus, avec la neige qui couvrait le sol et faisait ressortir les silhouettes. Et une partie de la rivière était visible de la route. Mais peu importe. Jon n'était pas encore rentré de l'école, et les jumeaux jouaient dans la cuisine. Leur mère les entendait rire et se rouler par terre en faisant semblant de se battre, comme d'habitude. Sans bruit, elle a enfilé des vêtements chauds, un bonnet et des moufles, puis elle est sortie et elle a traversé la cour. Son mari s'est réveillé et s'est redressé sur le divan. Et maintenant je suis sans doute en train d'extrapoler, mais je suis persuadé qu'une sorte de fantôme l'a poussé à se lever et à aller dans le couloir, où pendait l'ampoule nue allumée en permanence pour éclairer la petite fenêtre et aider les étrangers à trouver leur chemin dans la nuit, et où était accrochée la photo du grand-père à la longue barbe dans son cadre doré, juste au-dessus de la patère. Et il a dû rester là en chaussettes, l'air égaré, à regarder la porte qui s'ouvrait vers l'extérieur pour empêcher la neige de rentrer. Et maintenant il n'arrivait plus à détourner son regard. Il l'a suivie des yeux, et elle a senti sa présence dans son dos. Ça ne lui disait rien de bon, mais elle ne s'est pas retournée. Elle s'est contentée d'ôter la barre qui fermait la lourde porte de la grange, puis elle a pénétré à l'intérieur et elle a mis une éternité à réapparaître. Il n'a cessé de la guetter. Elle a fini par sortir, suivie de l'étranger ; elle avec ses grosses bottes et sa grosse veste, et lui en chaussures d'été et costume léger, avec son sac gris sur le dos. Elle lui avait donné un chandail qu'il avait passé sous sa veste, qui le boudinait maintenant et lui donnait un air balourd. Il avait lâché son tube de fer, et elle le guidait par la main ; il paraissait résigné et presque amorphe, sans doute épuisé par cet accès de rage qui s'était emparé de lui. En passant devant la maison elle s'est arrêtée au milieu de la cour pour se retourner. On distinguait parfaitement leurs pas dans la neige ; ceux de l'homme dans l'allée, les siens entre la maison et la grange, et leurs pas à tous les deux entre la grange et l'endroit où ils se tenaient maintenant. Les empreintes de ses fines chaussures de ville ne manqueraient pas d'attirer l'attention ; on ne se promenait pas avec ce genre de chaussures dans la région, surtout en cette période de l'année. Les yeux baissés, elle réfléchissait en se mordant les lèvres, mais l'homme voulait poursuivre son chemin et la tirait par la manche :

— Venez, on ne peut pas rester là.

Sa voix geignarde était celle d'un enfant gâté.

Elle a levé les yeux vers son mari, qui se tenait toujours dans l'embrasure de la porte. Il était grand et fort, son corps bouchait toute l'ouverture et ne laissait passer aucune lumière.

— Il va falloir que tu effaces l'empreinte de ses pas. Tu n'as pas le choix, a-t-elle dit.

Quand il a entendu ses paroles, quelque chose s'est figé dans son visage, mais elle ne s'en est pas aperçue. Dans son impatience, l'homme en costume de ville lui avait lâché le bras, et il s'approchait maintenant de l'embarcadère. Elle s'est précipitée pour le rejoindre, et bientôt on ne les voyait plus de la maison.

Debout, en chaussettes, il a continué à fixer la cour. À travers le silence il les a entendus monter dans la barque. Puis il a perçu le claquement des rames dans les tolets et le bruit assourdi quand elles ont plongé dans l'eau et le grincement régulier du bois contre le fer quand sa femme a commencé à ramer de ses bras musclés. Ces bras dans lesquels elle l'avait serré lors d'innombrables nuits d'étreintes qui appartenaient maintenant au passé. Encore une fois elle remontait la rivière pour rejoindre cet homme d'Oslo qui s'était installé dans le chalet d'alpage. À chaque fois qu'il y avait un problème, c'était lui qu'elle allait voir, à chaque fois qu'il se passait quelque chose d'important, c'était chez lui qu'elle se rendait, et maintenant elle avait embarqué ce type minable et mort de trouille qui venait sans doute d'Oslo lui aussi. Et on était en plein jour, et le soleil éclairait violemment la neige. Il a jeté un dernier regard dans la cour, et il a pris une décision qu'il allait regretter plus tard. Il a refermé la porte, et il est retourné s'asseoir dans la pièce de séjour. Les jumeaux jouaient toujours dans la cuisine, il les entendait à travers la cloison. Ils croyaient que tout était comme avant.

11

Je reste un bon moment sur le banc à contempler le lac.
Lyra gambade autour de moi. Je ne sais pas ce qui se passe.
Je me sens libéré d'un poids. Ma nausée a disparu, j'ai les
idées claires. J'ai l'impression d'être en apesanteur. Comme
si j'étais sauvé. D'une détresse en mer, de pensées obses-
sionnelles, de mauvais esprits. Un exorciste est venu et a
tout chassé. Je respire librement. Il y a encore un avenir. Je
pense à la musique. Je vais sans doute m'acheter un lecteur
de CD.

En remontant la côte avec Lyra sur mes talons, j'aperçois
Lars au milieu de la cour. Dans une main, il tient une tronçonneuse ; de l'autre, il tire sur une branche du bouleau. Il
essaie de retourner l'arbre, qui n'a pas l'air de vouloir bouger. Il parvient seulement à replier la branche. Plus jaune
maintenant, le soleil éclaire son visage d'une lumière crue.
Lars porte une casquette bien enfoncée sur le crâne. En
entendant mes pas, il se retourne, et il doit presque pencher
la tête en arrière pour m'apercevoir sous sa visière et me
regarder dans les yeux. Malgré l'obstacle formé par l'arbre,
Poker et Lyra se lancent dans une course poursuite autour
de la maison ; ils font semblant de se bagarrer, grognent
et aboient et se roulent dans l'herbe et sont heureux.

Lars sourit en secouant de nouveau la branche :

— On lui règle son compte?

— Avec plaisir, dis-je en affichant une mine enthousiaste.

Et je suis sincère. Je me sens soulagé. Je vais peut-être finir par le trouver sympathique, Lars. Je n'en étais pas sûr, mais ce n'est pas impossible. En fin de compte, ça ne m'étonnerait pas.

— Mais alors il va falloir que tu coupes celle-ci, dis-je en lui indiquant la branche qui a arraché la gouttière et qui barre l'accès à l'abri : ma tronçonneuse est là-dedans.

— On va t'arranger ça.

Et il tire sur le démarreur. Il a une Husqvarna et non pas une Jonsered, et de nouveau j'éprouve une sorte de soulagement; ça me fait rire comme si nous nous livrions à des activités défendues mais tellement amusantes. Le moteur s'emballe; il laisse revenir le câble du démarreur, puis il l'attrape de nouveau, tire dessus d'un coup sec et approche la tronçonneuse. Cette fois-ci elle émet un agréable ronronnement, et en un clin d'œil il a coupé la branche, qui gît par terre en quatre morceaux. La voie est libre. Ça me remonte le moral. Je repousse la gouttière et vais chercher ma tronçonneuse sur l'escabeau où je l'ai posée hier soir. Puis je ramasse le bidon d'essence. Il en contient encore un fond. Je pose la tronçonneuse par terre, dévisse le bouchon du réservoir et commence à le remplir. Il m'en reste juste assez. Je n'en fais pas tomber une goutte, mes mains ne tremblent pas. C'est préférable quand on vous regarde.

— J'ai deux bidons d'essence dans la remise, dit Lars; comme ça, on n'aura pas besoin de s'arrêter avant d'avoir terminé. Avec le boulot qu'on a, on ne va quand même pas s'interrompre pour aller au village.

— Certainement pas, dis-je.

Je n'ai d'ailleurs aucune envie d'aller au village. Je n'ai besoin de rien à la boutique, et ce n'est pas le moment d'aller traîner au café. Je démarre la Jonsered, je réussis au premier coup, et nous nous attaquons à l'arbre chacun de notre côté, Lars et moi : deux hommes dans la soixantaine, un peu rouillés, avec des casques antibruit sur la tête pour se protéger du hurlement des tronçonneuses quand elles s'enfoncent dans le bois. Penchés au-dessus de l'arbre, tenant notre engin à bout de bras de sorte que la chaîne prolonge notre volonté au lieu de nous entraîner, nous commençons par couper les branches au ras du tronc avant de les débiter en morceaux. Éliminant tout ce qui ne pourra pas servir de bois de chauffage, nous réunissons les débris dans un tas auquel nous mettrons le feu plus tard pour éclairer la nuit de novembre.

C'est agréable de voir Lars travailler. À défaut d'être rapide, il est méthodique. Malgré le poids de la tronçonneuse, il bouge autour de l'arbre avec plus d'élégance que lorsqu'il se promène avec Poker. Sa façon d'agir déteint sur la mienne. Avec moi, c'est toujours pareil : d'abord le geste, ensuite la compréhension. Petit à petit je me rends compte que sa manière de se pencher, de se déplacer, de se tordre par moments et de trouver des appuis, que tous ses gestes obéissent à une logique et contribuent à maintenir le fragile équilibre entre sa masse corporelle et la force d'attraction de la chaîne quand elle s'enfonce dans le bois. Chaque mouvement a pour but de faciliter le trajet de la tronçonneuse tout en réduisant le danger pour le corps humain, si vulnérable : malgré son apparence solide et invincible, il suffit d'un coup pour le disloquer comme une poupée. Et alors tout est irrémédiablement fini. Je ne sais pas si c'est à ça qu'il pense, Lars, en maniant sa tronçonneuse avec tant d'aisance. Sans doute pas. Moi, en revanche, j'y pense ;

quand ces idées surgissent, je suis incapable de les chasser, et ça ralentit mes efforts. Mais peu importe ; j'y suis habitué. Et je suis sûr que sa mère a dû y penser, ce jour de fin de l'automne 1944, quand elle ramait de toutes ses forces pendant que Lars se roulait par terre dans la cuisine et faisait semblant de se battre avec son frère jumeau Odd, ignorant ce qui se passait autour de lui, ignorant ce qui allait s'ensuivre, ignorant que trois ans plus tard, avec le fusil de son grand frère Jon, il allait ôter la vie à Odd et faire de son corps une poupée disloquée. Personne ne pouvait deviner ça, et dehors il faisait encore jour ; une lumière gris acier éclairait les champs couverts de neige, et sur la rivière sa mère essayait de donner le change et de faire en sorte que rien ne distingue ce voyage de ceux qu'elle avait déjà faits vers le chalet d'alpage.

Je vois la scène comme si j'y étais.

Ses moufles bleues entourant les rames, ses bottes s'arc-boutant contre la membrure et les volutes blanches de sa respiration rauque et saccadée. Et l'étranger en chaussures d'été couché entre ses jambes au fond de la barque, grelottant toujours dans son costume léger et serrant dans ses bras son sac gris. Il tremble d'une façon invraisemblable, et la barque vibre comme si elle était équipée d'un moteur à deux temps d'un modèle inconnu ; elle n'a jamais rien vu de pareil et craint qu'on n'entende ce nouveau moteur jusque sur les berges.

Je vois la scène comme si j'y étais.

Le side-car roulant tranquillement sur la route fraîchement déblayée, et qui oblique soudain pour se diriger vers la ferme, sans raison ; personne n'a jamais compris ce qu'il voulait exactement, le soldat qui pilotait la moto. Peut-être s'est-il senti seul et cherchait-il quelqu'un avec qui bavarder. À moins qu'il n'ait eu envie de fumer. Et au moment d'allu-

154

mer sa cigarette, il s'aperçoit qu'il n'a plus d'allumettes, et il s'apprête à frapper à la porte pour demander du feu et rester là à fumer et à regarder le paysage en compagnie de quelqu'un ; il aspire seulement à n'être qu'un homme ordinaire face à un autre homme, bien qu'ils ne soient pas du même pays, et à fraterniser autour d'une innocente cigarette, loin de cette saleté de guerre. Ou alors il avait d'autres motifs que personne n'a su découvrir, ni à l'époque ni plus tard. Mais peu importe : il a garé sa moto au milieu de la cour et se dirige vers la maison sans se presser. Seulement, il ne va pas jusque-là. Soudain il s'arrête pour fixer le sol. Il marche dans un sens, puis dans l'autre, il tourne en rond, il s'agenouille et finit par descendre jusqu'à la rivière. Et là, une lumière s'allume dans sa tête. Ça fait tilt dans son cerveau. Il a tout compris. Et maintenant il est pressé. Il remonte en courant, il se jette sur sa moto et actionne brutalement la pédale de démarrage. Mais pas moyen de démarrer. Alors il s'acharne, et son engin part soudain comme une fusée. Le nez dans le guidon, il dévale l'allée. À moitié couché sur le flanc, il prend le tournant de la route principale en faisant gicler la neige, et son side-car vide rebondit dans le virage avec un bruit de ferraille. Et au même moment, Jon arrive, son cartable sous le bras. Il a entendu la moto, et il a juste le temps de se jeter dans le fossé pour éviter de se faire écraser et, qui sait, de se retrouver grièvement blessé. Son cartable s'est ouvert et ses livres volent dans tous les sens. Mais le soldat s'en moque, il se contente d'accélérer et il s'envole en direction du carrefour où se trouvent la boutique et l'église, et le pont qui enjambe la rivière.

Je vois la scène comme si j'y étais.

Debout dans le fossé, Jon ramasse ses livres éparpillés dans la neige. Sa mère est toujours sur la rivière, et l'homme en costume léger s'aplatit contre le fond de la barque. Le courant a beau être faible en cette période de l'année, c'est dur de ramer quand on est deux à bord, et elle n'avance pas vite. Il reste encore pas mal de chemin avant d'atteindre le chalet, où mon père est en train de bricoler derrière la remise sans se douter le moins du monde qu'elle va arriver. Dans la barque, l'homme tremble et vocifère tout seul, puis il pleure et vocifère de nouveau. Celle qui rame le supplie de se taire, mais il serre les mains autour des bretelles de son sac à dos et semble perdu dans son monde à lui.

Franz était dans sa cuisine. La fenêtre était ouverte, car en rentrant de la forêt il avait fait un feu d'enfer, et la chaleur était telle qu'il avait fallu aérer. La nuit n'était pas encore tombée, et il avait allumé une cigarette en se demandant pourquoi il ne s'était jamais marié. Cette question le tracassait tous les ans quand le froid commençait à s'insinuer partout. Ça durait en général jusqu'à Noël, et après le Nouvel An il cessait d'y penser. Les occasions ne lui avaient pourtant pas manqué, mais maintenant, cigarette au bec, debout devant la fenêtre, il était incapable de se rappeler pourquoi il ne les avait pas saisies. Ça lui paraissait absurde de vivre seul. C'est alors qu'il a entendu une moto s'approcher à vive allure de l'autre côté de la rivière. Sa maison était à cinquante mètres du pont, et sur l'autre rive, vingt mètres plus loin, se tenait la sentinelle dans son long manteau vert-de-gris, mitraillette à l'épaule. L'homme avait froid. Il s'ennuyait. Lui aussi a entendu la moto. Il s'est retourné et il a fait quelques pas en direction du bruit, qui n'a cessé d'augmenter. Franz a vu une tête casquée surgir au-dessus des fourrés, puis la moto est apparue. Penché en avant pour diminuer la résistance de l'air, le pilote n'avait plus qu'une centaine de mètres à parcourir jusqu'au carrefour. Depuis le matin, le temps était brumeux et couvert, mais un soleil déjà bas perçait maintenant au sud-ouest. Ses rayons obliques plongeaient la vallée dans une lumière dorée et rendaient la rivière parfaitement distincte. Tiré de ses rêveries par cette lumière éblouissante, Franz a délaissé les candidates brunes et blondes qu'il imaginait en train de se bousculer pour l'épouser, car il venait soudain de comprendre la signification de ce qu'il avait vu sur la route. Il a jeté sa cigarette par la fenêtre et il s'est précipité dans le couloir. Sortant son couteau, il s'est agenouillé et il a soulevé la carpette. Sous la carpette il y avait une fente dans le plancher. Il y a enfoncé son couteau, faisant sauter quatre lattes de bois clouées ensemble, et il a plongé sa main dans le trou. Il avait toujours su que ce jour viendrait. Il était prêt. Il ne fallait surtout pas hésiter, et il n'a pas hésité une seconde. De la cache, il a sorti un détonateur. Il a vérifié les fils. Prenant une profonde inspiration, il l'a posé bien en équilibre entre ses genoux, en tenant fermement le levier. Et d'un coup sec, il l'a actionné. La maison a vibré et les vitres ont tremblé. Lentement il a laissé ses poumons se vider, et il a replacé le détonateur dans la petite cavité sous le plancher en remettant les lattes de bois et la carpette par-dessus. Puis il s'est levé et s'est précipité vers la fenêtre. Le pont avait volé en éclats. Dans le silence suivant l'explosion, des morceaux de bois retombaient doucement, comme dans un film au ralenti ; certains ont atterri sur les rochers avec une étrange absence de bruit, d'autres ont été emportés par le courant, et Franz avait l'impression de voir la scène à travers une vitre. Pourtant, la fenêtre était ouverte.

De l'autre côté du pont détruit, assez loin de l'endroit où Franz l'avait vue tout à l'heure, la sentinelle gisait dans la neige, face contre terre. La moto n'avait pu arriver à temps.

Maintenant elle ralentissait et semblait hésiter à s'approcher du corps. Puis elle s'est arrêtée et le pilote est descendu, enlevant son casque et le glissant sous son bras comme s'il s'apprêtait à assister à un enterrement. Il a franchi les derniers mètres qui le séparaient de la sentinelle, puis il s'est immobilisé, tête baissée. Un souffle de vent lui a soulevé les cheveux. Ce n'était qu'un gamin. Puis il s'est laissé tomber à genoux devant celui qui était peut-être son meilleur ami, mais son camarade n'était pas mort et s'est appuyé sur ses bras pour se redresser. Il est resté accroupi un long moment, sans doute pour vomir. En s'aidant de sa mitraillette il a réussi à se mettre debout. Se levant lui aussi, le pilote de la moto s'est penché vers son ami pour lui dire quelque chose. Mais celui-ci a secoué la tête en montrant ses oreilles. Il n'entendait plus rien. Ils se sont tous les deux retournés pour regarder le pont disparu, puis ils ont couru vers la moto. La sentinelle a sauté dans le side-car, le pilote a enfourché l'engin, et il a redémarré. Mais au lieu de se diriger vers la ferme où il logeait avec le reste de la patrouille, il a foncé vers la route qu'il venait de quitter. Et il a mis les gaz, car la moto était plus lourde à conduire, maintenant que le side-car était occupé. Quelques minutes plus tard, elle passait à vive allure devant la ferme de Barkald. Tout de suite après, elle a bifurqué. Pareils à des marins dont le voilier manque de chavirer, les deux hommes se penchaient pour éviter le dérapage ; par instants, le side-car décollait du sol, et la moto a traversé à fond de train le pré enneigé. Dans un fracas violent, elle a enfoncé la barrière, et des bouts de bois ont volé dans tous les sens avant de retomber sur les casques des deux hommes, qui ne se sont pas arrêtés pour autant. Passant de justesse entre les montants de la barrière, ils ont dévalé la pente en longeant la clôture, dont les poteaux défilaient avec un bruit d'horloge. Cahotant et zigzaguant, la moto fonçait vers la rivière sur le sentier que prenait mon père quand il allait chercher le « courrier » à la boutique. Sur ce même sentier où j'allais souvent me promener quatre ans plus tard avec mon copain Jon qui, un jour, a disparu de ma vie. Qui a disparu parce qu'un de ses frères avait ôté la vie à son frère jumeau avec un fusil dont lui, Jon, avait oublié de mettre le cran de sûreté. C'était en plein été, il était le gardien de ses frères, et il avait suffi d'un instant pour tout changer, pour tout détruire.

De l'autre côté de la rivière, la mère de Jon venait d'accoster. Elle a amarré sa barque près de celle de mon père, puis elle a sauté à terre pour la remonter, car il ne fallait pas que le courant s'en empare et la fasse dériver jusqu'à l'autre berge où elle n'avait rien à faire. Dans son impatience, l'homme s'est levé alors qu'elle n'avait pas encore fini. Il aurait mieux fait d'attendre, car en soulevant la barque, elle l'a fait tomber en avant. Sa tête a heurté le banc de nage ; comme il n'avait pas voulu lâcher son sac, il n'a pas pu amortir le choc. Quand elle s'en est aperçue, elle a failli fondre en larmes.

— Bordel de merde ! Mais vous faites tout de travers ! a-t-elle crié, alors que de sa vie elle n'avait jamais prononcé un gros mot.

Elle savait qu'elle avait tort de crier, mais elle n'avait pas pu s'en empêcher. Elle l'a attrapé par un pan de son veston, puis elle l'a tiré hors de la barque comme un sac vide. En se redressant, elle a vu la moto traverser le pré d'en face. Mon père est arrivé en trombe ; à cause du bruit, il avait tout de suite compris que quelque chose n'allait pas. Il les a vus tous les deux en bas du sentier, la mère de Jon avec son bonnet et ses moufles, et l'inconnu accroupi près de la barque dans son costume léger. Et il a vu la moto s'arrêter net devant la pente pierreuse qui descendait vers la berge.

— Debout!

La mère de Jon hurlait à l'oreille de l'étranger, qui essayait tant bien que mal de se redresser. En le tirant par son veston, elle a entendu la voix du gamin en uniforme allemand :

— Halt!

Il dévalait la pente, suivi de la sentinelle. A-t-il aussi crié « s'il vous plaît » en allemand? Franz le croyait, il en était même sûr : « *Bitte, bitte* », aurait-il imploré, le jeune soldat. En tout cas, ils se sont immobilisés tous les deux au bord de l'eau. Elle était trop froide, ils ne voulaient pas y plonger, en traversant à la nage ils se transformeraient en cibles et de toute manière ils finiraient par toucher terre bien plus bas : le courant avait beau être faible en cette période de l'année, il était quand même assez fort pour les entraîner. Derrière eux, en haut de la côte, la moto hoquetait comme un animal à bout de souffle. Ils ont épaulé leurs mitraillettes.

— Courez, nom de Dieu! a crié mon père.

Et il a lui-même couru comme un dératé vers la rivière, zigzaguant entre les arbres que personne n'avait encore songé à sacrifier et s'abritant derrière leurs troncs épais. À l'instant même, les soldats ont fait feu. D'abord un simple coup de semonce : les balles ont volé au-dessus des têtes de l'inconnu et de la mère de Jon qui peinaient à remonter le sentier; elles frappaient les troncs et déchiquetaient le bois avec un bruit si particulier qu'elle s'en souviendrait toujours, a dit plus tard la mère de Jon; rien ne lui avait jamais fait aussi peur que ce bruit, on aurait cru que les sapins gémissaient. Puis les soldats ont tiré de nouveau, mais en visant cette fois-ci. Et la première salve a touché l'inconnu dont la veste foncée constituait une cible de choix dans la neige blanche. Lâchant son sac, il s'est écroulé face contre terre. La mère de Jon a eu du mal à saisir ce qu'il murmurait :

— Ah. Je le savais.

Et il a commencé à glisser en direction de la barque. Il ne s'est arrêté qu'après le pin tordu qui surplombait la rivière, quand ses chaussures d'été ont touché l'eau. Les soldats l'ont de nouveau visé, et il n'a plus rien dit.

Mon père s'est arrêté un peu plus haut à l'abri d'un sapin.

— Ramasse son sac et viens ! a-t-il crié à la mère de Jon.

De sa moufle bleue elle s'est emparée du sac gris et elle est remontée en courant, courbée en avant et se faufilant entre les arbres. Peut-être les soldats n'avaient-ils jamais tué quelqu'un auparavant ; en tout cas ils ont semblé tirer avec moins d'empressement. Ou alors c'était parce qu'ils étaient face à une femme. Leurs coups de feu paraissaient surtout destinés à l'effrayer, et elle a pu arriver saine et sauve jusqu'au sentier. De là ils ont couru jusqu'au chalet, mon père et elle. Une fois à l'intérieur, ils ont ramassé quelques affaires et pris les documents que mon père avait cachés. Par la fenêtre ils ont vu deux voitures traverser le pré à vive allure, et des soldats sauter en marche et courir vers la rivière. Mon père a fourré leurs affaires dans le sac de l'inconnu, puis il l'a noué dans un drap blanc. Après avoir passé les sous-vêtements blancs de mon père par-dessus leurs habits, ils sont sortis par une fenêtre à l'arrière, et ils se sont enfuis vers la Suède. Main dans la main, ou presque.

Le soleil avait continué sa course, il faisait plus sombre dans la cuisine bleue. Dans ma tasse, le café avait refroidi.

— Pourquoi me racontes-tu tout ça, alors que mon père ne veut pas en parler ? ai-je demandé.

— Parce qu'il m'a dit de le faire, a répondu Franz ; quand le moment serait venu. Et maintenant, c'était le moment.

12

Pendant que nous nous occupons de l'arbre, Lars et moi, le temps se remet au froid. Le soleil a disparu, le vent se lève et des nuages gris recouvrent le ciel comme un édredon. Une étroite bande bleue persiste au-dessus de la colline, mais elle finit par s'effacer à son tour. Décidant de nous arrêter pour souffler un peu, nous redressons péniblement le dos en faisant semblant de ne pas souffrir. Nous n'arrivons pas à donner le change, et je dois me tenir les reins pour rester à peu près droit. Pendant un moment nous regardons tous les deux vers la forêt, chacun de son côté. Puis Lars se roule une cigarette. Adossé à la porte de la remise, il fume tranquillement, et je me rappelle comme c'était agréable d'en griller une après un effort physique, seul ou avec mes compagnons de travail. Pour la première fois depuis des années, le tabac me manque. Je me tourne vers le tas de bûches qui s'élève maintenant à l'endroit où gisait une partie de l'arbre. Lars m'imite.

— Pas mal, dit-il avec un sourire. On a fait à peu près la moitié.

Lyra et Poker sont fatigués, eux aussi. Couchés devant la porte, ils tirent la langue. Les tronçonneuses arrêtées, tout est redevenu calme. Et soudain il commence à neiger. Il est une heure de l'après-midi. Je regarde le ciel.

— Merde, dis-je à voix haute.

Lars suit mon regard :

— Elle ne restera pas, c'est trop tôt. Le sol n'est pas assez froid.

— Tu as sûrement raison. Mais ça m'inquiète quand même. Je ne sais pas pourquoi.

— Tu as peur d'être bloqué par la neige ?

— Oui ; il y a ça aussi.

Je me sens rougir.

— Alors il te faudrait trouver quelqu'un pour te déblayer le chemin. C'est ce que j'ai fait. Åslien, un type qui habite par ici. Il vient dès que j'ai besoin de lui, ça fait des années qu'il déblaie pour moi. Quand il sort son tracteur pour déblayer chez lui, ça ne lui demande pas beaucoup de temps supplémentaire, il lui suffit de remonter et de redescendre le chemin avec son chasse-neige. Ça doit lui prendre un quart d'heure tout au plus.

— Oui, dis-je en me raclant la gorge, je le connais. Je l'ai appelé hier, justement ; de la cabine près de la coopérative. Il est d'accord. Il me prendra soixante-quinze couronnes. C'est ce que tu paies aussi ?

— Exactement. Comme ça, tu ne risques rien. Paré pour l'hiver. Mais maintenant, ce qui nous guette là-haut…

La tête penchée en arrière, il scrute le ciel. Puis il prend un ton presque menaçant :

— Eh bien, ça peut toujours tomber !

Il sourit d'un air malicieux :

— Qu'est-ce que tu en penses ; on s'y remet ?

Son attitude est contagieuse ; j'ai vraiment envie de recommencer. Mais je suis à la fois surpris et inquiet de constater que j'ai besoin de son encouragement pour affronter ce travail aussi simple qu'indispensable. Le temps, ce n'est pas ce qui me manque. Quelque chose en moi est en train de changer ; je suis en train de changer ; celui que je connaissais et en qui j'avais une confiance aveugle, celui que ses proches appelaient le garçon aux culottes en or, celui qui n'avait qu'à plonger la main dans ses poches pour en sortir des espèces sonnantes et trébuchantes, est en train de céder la place à quelqu'un que je connais nettement moins bien, quelqu'un dont les poches contiennent Dieu sait quoi. Je me demande quand cette transformation a débuté. Il y a trois ans, je suppose.

— Oui, dis-je. Allons-y.

Quand nous avons terminé, je l'invite à entrer ; il m'a semblé que je ne pouvais pas faire autrement. La neige tombe dru, mais elle n'a pas l'air de tenir. Pas pour l'instant en tout cas. Nous avons monté une impressionnante pile de bois contre le mur de la remise, à côté des bûches du sapin mort, et la cour est dégagée. N'y reste que la grosse racine que nous avons décidé de remorquer demain avec des chaînes. Lars en a dans son garage. Mais ça suffit pour aujourd'hui, nous sommes fatigués et nous avons faim et envie d'un café. Je me demande si je n'ai pas eu tort de faire autant d'efforts après ce qui m'est arrivé ce matin, mais ça a l'air d'aller. Je sens une bonne fatigue dans le corps ; il n'y a que mon dos qui me fait souffrir, mais ça, j'en ai l'habitude. Et je ne pouvais quand même pas laisser Lars déblayer ma cour tout seul.

Je remplis le filtre, je verse de l'eau froide dans le réservoir et j'allume la cafetière. Puis je coupe du pain que je dispose dans une corbeille, je sors du réfrigérateur le beurre et des charcuteries que j'étale sur des assiettes, je mets du lait dans un petit pot jaune et je pose le tout sur la table, avec des tasses et des verres et des couteaux pour deux.

Lars a enlevé ses bottes et s'est assis sur la huche à bois.

Avec ses pieds qui ne touchent pas le sol, il paraît jeune. Mais dans cette position, n'importe qui aurait sans doute l'air d'un gamin. Grâce à sa casquette il a les cheveux secs, contrairement à moi, et il n'a pas dit un mot depuis que nous sommes rentrés. Il se contente de fixer le sol d'un air pensif. Moi non plus je n'ai pas ouvert la bouche, et je ne suis pas mécontent de garder le silence. J'ai perdu l'habitude de faire la causette.

— Tu veux que je fasse du feu ? demande-t-il soudain.

— Oui, c'est une bonne idée.

Et c'est vrai qu'il fait frisquet ici. En même temps je suis un peu surpris de le voir se comporter comme s'il était chez lui et donner son avis sur la température qu'il fait dans ma maison ; jamais je n'aurais pris de telles libertés. Mais après tout, il m'a demandé la permission, et j'ai sans doute tort de me formaliser. Lars saute de la huche, soulève le couvercle, en sort trois bûches fendillées et un journal de la semaine dernière que j'avais conservé pour cet usage, et en peu de temps le poêle est allumé. Il s'y prend bien mieux que moi, il a fait ça toute sa vie. Et voilà que la cafetière se met à glouglouter ; ma bonne vieille cafetière qui m'accompagne depuis tant d'années. J'enlève la verseuse et je transvase le contenu dans une bouteille thermos. En remplissant le thermos je pense un instant à celle avec qui j'ai pris le café tous les matins pendant si longtemps, mais son image s'évanouit et je n'arrive pas à la retenir. Du coup je me tourne vers la fenêtre et je regarde la cour dégagée. Quelques petits tas de sciure dorée entourent la grosse racine, et des gros flocons de neige tombent en silence et se posent quelques secondes avant de fondre mystérieusement. Si ça continue jusqu'à demain, la neige va finir par rester.

Ai-je pris mon petit déjeuner ce matin ? Je ne m'en souviens plus ; ça paraît si loin. Depuis, il m'est arrivé tant de choses. Et maintenant je meurs de faim. Je me tourne vers Lars et je fais un geste en direction de la table :

— Tu viens ? C'est prêt.

— Avec plaisir.

Il referme la huche et nous nous asseyons, un peu gênés. Et nous nous jetons sur la nourriture.

Pendant un moment nous mangeons en silence. Surpris de trouver autant de goût à ce que j'avale, je ne peux m'empêcher de jeter un œil dans la panetière pour vérifier si c'est le même pain que d'habitude. Mais c'est bien celui que j'achète toujours. Je m'assieds de nouveau et je me remets à manger en dégustant chaque bouchée. J'essaie de ralentir pour ne pas terminer trop vite, tandis que Lars continue de manger sans lever les yeux de son assiette. Ça ne me dérange pas, faire la conversation ne me manque pas. Mais il finit quand même par lever la tête.

— En fait, j'étais censé reprendre la ferme, dit-il.

— Quelle ferme ?

Bien entendu, je sais parfaitement de quelle ferme il s'agit. Mais dans ma tête j'étais ailleurs, et je me demande soudain si ce n'est pas là un des effets de la solitude prolongée : on laisse ses pensées suivre leur cours et tout d'un coup on se met à parler à voix haute ; on ne fait plus la différence entre parler et se taire, et le dialogue que nous ne cessons d'entretenir avec nous-mêmes se mêle à celui qu'il nous arrive d'établir avec les rares personnes que nous fréquentons. Quand on vit seul trop longtemps, la frontière entre les mondes intérieur et extérieur devient floue, et on finit par la franchir sans même s'en apercevoir. C'est ça qui m'attend ?

— La nôtre. Au village.

Il doit y avoir quelques centaines de milliers de villages

en Norvège, dont celui où nous nous trouvons en ce moment. Mais je sais évidemment de quel village il parle.

— Tu t'es sûrement demandé pourquoi je vis ici, et non pas dans le village où je suis né ?

À vrai dire, je ne m'étais pas posé la question, pas au sens où il l'entend en tout cas. Mais j'aurais peut-être dû. En revanche, je me suis bel et bien demandé par quel hasard nous étions devenus voisins, après toutes ces années. Comment une telle chose était possible.

— Oui, bien sûr.

— Je devais la reprendre, il n'y avait plus que moi. Jon s'était embarqué comme matelot, Odd était mort, j'avais passé ma vie à travailler dans cette ferme, tous les jours, sans jamais prendre de vacances comme le font les gens maintenant. Et mon père n'est pas revenu ; il était tombé malade. Personne n'a jamais su ce qu'il avait, au juste. Il s'était cassé une jambe, il s'était cassé quelque chose à l'épaule, il a fallu l'emmener à l'hôpital, c'était en 1948, tu dois sûrement t'en souvenir, je n'étais qu'un gamin à l'époque. Et il n'est pas revenu. Et les années ont passé, et puis Jon est rentré. Je ne l'ai pas reconnu. C'était comme s'ils n'existaient plus, ni l'un ni l'autre. Je ne pensais jamais à eux. Et un beau jour, Jon est descendu du car, et il s'est pointé à la maison en disant qu'il était prêt à reprendre la ferme. Il avait vingt-quatre ans. C'était son droit, a-t-il affirmé. Ma mère n'a rien dit, elle n'est pas intervenue pour plaider ma cause, mais je me souviens de ses yeux, de la façon dont elle m'évitait du regard. Cette ferme, c'était toute ma vie, je ne connaissais rien d'autre. Jon en avait marre de bourlinguer, il avait tout vu, disait-il. C'est possible. Au cours des années il nous avait envoyé quelques cartes postales, de Port Saïd, d'endroits comme ça : Aden, Karachi, Madras. Des endroits qu'on est obligé de chercher dans son livre de géographie pour savoir où ils se trouvent. Un des bateaux s'appelait le M/S *Tijuka*, je me souviens des enveloppes, il y avait un tampon avec le nom dessus, et un nom comme ça, je n'en avais jamais vu. Jon ne devait pas être en bonne santé, si tu veux mon avis. Il était maigre et efflanqué, je me suis dit que jamais il ne pourrait s'occuper de la ferme. On aurait dit un drogué, comme ceux qu'on voit maintenant à Oslo. Il était nerveux, il prenait la mouche pour tout. Mais je ne pouvais rien faire. C'était son droit.

Et Lars se tait. Pour lui, c'était un long discours. Il se remet à manger, il a pris du retard par rapport à moi, mais la nourriture a l'air de lui plaire. Je lui sers du café, je lui propose du lait, il prend le petit pot jaune et en verse quelques gouttes dans sa tasse, et il termine son repas en silence. Une fois son assiette vide, il me demande s'il peut fumer.

— Mais bien sûr, dis-je.

Et il roule une cigarette, l'allume et en observe le bout incandescent en inhalant la fumée. Je décide de rompre le silence :

— Alors, qu'est-ce que tu as fait ?

Lars lâche la cigarette du regard et la porte à ses lèvres. Puis il aspire goulûment, et tout en soufflant lentement la fumée il fait une grimace grotesque, comme s'il cherchait à se dissimuler derrière un masque de carnaval. Ça me prend tellement au dépourvu que j'en reste bouche bée, je ne lui ai jamais vu une tête pareille. Le spectacle est étrangement comique ; on dirait un clown dont le public est plié en quatre, et qui veut soudain lui tirer des larmes. Comme Charlot dans ses grands moments, ou un autre parmi les vieux acteurs du muet : celui qui louchait tout le temps, par exemple. Et il a vraiment le visage en caoutchouc, Lars, mais je n'ai pas le cœur à en rire. Il pince les lèvres, il serre les paupières et il tord sa figure à quarante-cinq degrés vers son oreille droite, c'est du moins ce qu'il me semble. Et ses traits, qui commençaient à m'être familiers, disparaissent parmi les rides. Il reste ainsi pendant un bon moment, puis il rouvre les yeux et laisse son visage retrouver ses plis habituels. Et la fumée sort de nouveau par sa bouche. Son numéro me laisse perplexe. Il respire avec difficulté et il lève le regard vers moi. Ses yeux sont humides.

— Je suis parti, dit-il. Le jour de mes vingt ans. Je n'y suis plus jamais retourné. Même pas cinq minutes.

Le silence se fait dans ma cuisine, Lars se tait, je me tais.

— Ça alors, finis-je par lâcher.

— Je n'ai pas revu ma mère depuis l'âge de vingt ans.

— Elle est toujours en vie ?

— Je ne sais pas. Je n'ai jamais cherché à le savoir.

Je regarde par la fenêtre. Peut-être aurais-je préféré ne rien apprendre de tout ça. Je me sens envahi par une immense lassitude, elle m'ensevelit et me noie. Si je pose des questions c'est uniquement parce que je m'y sens obligé, parce qu'il semble important pour Lars de se confier à moi. Et même s'il l'ignore, son récit me concerne aussi. Pourtant, je ne suis pas sûr de vouloir en savoir davantage. Ça prend une place trop importante. Je n'arrive plus à me concentrer, ma rencontre avec Lars m'a perturbé, mes projets m'apparaissent flous, dérisoires même, il faut bien l'avouer, depuis que je n'arrive plus à y fixer mes pensées. Mon humeur joue les ascenseurs, passant de la cave au grenier en quelques instants, et mes journées ne se déroulent pas comme je l'avais imaginé. Le moindre obstacle prend des allures de catastrophe. Non pas qu'on puisse considérer cet arbre comme un obstacle négligeable, loin de là. Et d'ailleurs, tout s'est bien terminé, grâce à Lars. Mais j'aurais préféré être seul. Résoudre mes problèmes tout seul, l'un après l'autre, en me servant de bons outils et de mes capacités de réflexion, comme mon père l'avait fait cet été-là; s'attaquant à une tâche après une autre, réfléchissant à la manière de procéder, sortant les outils nécessaires dans le bon ordre, travaillant méthodiquement en se servant de ses mains et de sa tête. Il aimait ce qu'il faisait, et je voudrais être comme lui : capable d'affronter les difficultés du quotidien, ardues mais circonscrites, car elles ont un commencement et une fin qui permettent d'en faire le tour. Puis m'endormir sans fatigue excessive et me réveiller le lendemain, frais et dispos, et me préparer un café, allumer le poêle et contempler la lueur rouge au-dessus des arbres près du lac, avant de m'habiller, de sortir avec Lyra et de m'attaquer aux tâches de la journée. C'est ça que je veux, et je sais que j'en suis capable, que j'ai ça en moi : la force d'être seul. Qu'il n'y a aucune raison d'avoir peur. J'ai vu tant de choses, il s'est passé tant de choses dans ma vie, mais je ne veux pas entrer dans les détails, car j'ai aussi eu beaucoup de chance. J'étais le garçon aux culottes en or. Mais maintenant, j'aimerais bien pouvoir me reposer.

Seulement, il y a Lars. Lars que je vais sans doute finir par trouver sympathique, Lars qui se lève de table et qui n'arrête pas de remettre et d'enlever sa casquette pour qu'elle retrouve sa bonne place. Dehors c'est le crépuscule, il n'y a plus de soleil en tout cas, et Lars me remercie pour le repas d'un ton un peu gauche et formel, comme si nous venions de savourer un dîner de Noël et qu'il avait hâte de partir. Il préfère sans doute se retrouver dehors, avec une hache ou une scie à la main, plutôt que dans ma maison. Ça ne me vexe pas, je le comprends parfaitement. Si j'étais son invité, j'aurais sûrement eu le même sentiment.

Je vais dans le couloir, ouvre la porte et raccompagne Lars jusqu'à la marche, où Poker l'attend. Et je lui souhaite bonne nuit et je le remercie pour son aide et il dit qu'avec cet arbre on s'en est bien sortis, demain avec les chaînes on va s'occuper de la racine, et le chien se glisse entre nos jambes et s'assied et se met à fixer son maître des yeux, et il commence à grogner, mais Lars lui tourne le dos sans même le regarder, et il passe devant le chien et descend les deux marches et traverse la cour et s'engage sur le sentier qui mène jusqu'à son chalet. Resté là, Poker me dévisage d'un air penaud, la langue pendante, mais je me contente de m'adosser à la porte et n'ai pas d'ordre salvateur à lui donner. À contrecœur il finit par suivre Lars, la tête baissée et traînant les pattes. Si j'étais lui, je changerais de comportement, et vite.

Une fine couche de neige recouvre la cour. Je ne sais pas à quel moment elle a commencé à tenir, mais la température a baissé et la neige continue de tomber et n'a pas l'air de vouloir s'arrêter. En rentrant, je referme la porte derrière moi et j'éteins la lumière extérieure. Lars a oublié ses gants de travail, ils sont posés sur l'étagère à chaussures. Je les ramasse et m'apprête à rouvrir la porte pour l'appeler, mais ça n'a pas de sens, il les retrouvera demain, à l'heure qu'il est il ne va quand même pas entreprendre des travaux qui nécessitent des gants.

Lars. Qui prétend ne pas avoir pensé à son frère pendant toutes les années que celui-ci a passées en mer, mais qui se rappelle les villes et les ports où il a fait escale. Qui se souvient du tampon sur ses enveloppes et du nom des navires sur lesquels il s'était embarqué. Qui suivait leur route dans son livre de géographie. Jon, déjà maigre et efflanqué, debout sur le pont du M/S *Tijuka*, agrippé au bastingage, les yeux plissés, essayant d'apercevoir la côte vers laquelle se dirige le navire. Ils ont appareillé à Marseille, et le doigt de Lars suit leur trajet jusqu'à la Sicile et la pointe de la botte de l'Italie et continue en traçant une diagonale au large des îles grecques. Et au sud-est de la Crète, l'air devient différent, il semble avoir changé de consistance depuis la veille, mais Jon ne l'a pas encore compris, il ne sait pas que c'est l'air de l'Afrique. Et Lars le suit à l'approche de Port Saïd, où ils doivent décharger et charger des marchandises avant de traverser le canal de Suez. Cerné par les dunes du désert, le navire avance lentement dans l'étrange lumière jaune reflétée par les milliards de grains de sable. Et il atteint la mer Rouge et il descend sous une chaleur de plomb jusqu'à Djibouti. Et sur l'autre rive de l'étroit bras de mer qui sépare deux mondes, il fait escale à Aden, toujours dans le sillage du jeune poète Rimbaud arrivé là près de soixante-dix ans plus tôt pour devenir un autre et tout laisser derrière lui en se plongeant dans le désert jusqu'à l'oubli et la mort. Ça, moi je le sais, car je l'ai lu dans un livre. Alors que Lars ne le sait pas, assis devant son manuel de géographie dans la maison près de la rivière. Et Jon ne le sait pas non plus. Mais à Port Saïd, sous le ciel bas d'un bleu intense, il va découvrir les palmiers africains. Il voit les toits-terrasses des maisons, il voit les bazars et les souks qui envahissent les rues et s'étendent jusque sur les quais où accoste le M/S *Tijuka*. Toute la ville n'est qu'un vaste bazar, partout des cris s'élèvent dans toutes les langues du monde, on vante la marchandise, on vous invite à descendre la passerelle ; vous là-haut, agrippé au bastingage et dont les yeux plissés ne sont plus que des traits de crayon, vous allez descendre acheter quelque chose qu'il vous faut absolument, quelque chose qui va changer votre vie et vous rendre heureux à tout jamais, *special price for you today*. Et tout est assourdissant et déroutant, il y a des cymbales et des tambours, et les odeurs lui montent à la tête ; c'est un mélange de légumes blets et de viandes si étranges qu'il n'en soupçonnait même pas l'existence. Et il y a des épices et des herbes aromatiques et quelque chose qui brûle là-bas à l'extrémité du quai, et il ne sait pas ce que c'est, mais ça dégage une odeur âcre, et il ne quitte pas le navire. Il fait son travail, il charge et décharge avec l'énergie de son jeune âge, mais il ne descend pas la passerelle. Même pendant son quart libre, quand tombe soudain l'obscurité, il reste sur le pont à regarder les activités se poursuivre à un rythme moins effréné sous la lumière électrique et celle des bougies. Et tout lui paraît encore plus attirant que dans la clarté violente du jour, mais plus inquiétant aussi, avec des ombres mouvantes qui envahissent les étroites venelles. Il a quinze ans, et il ne quitte pas le navire. Ni à Port Saïd, ni à Aden, ni à Djibouti.

Je me réveille au milieu de la nuit. Je me redresse dans mon lit et je regarde par la fenêtre. Il neige toujours et le vent s'est levé ; dehors c'est le chaos, les flocons tourbillonnent contre la vitre. À la place du chemin qui descend vers la rivière il n'y a plus qu'un épais tapis blanc qui efface les contours. Je me glisse hors du lit, je vais dans la cuisine et j'allume la petite lampe au-dessus de la cuisinière. Couchée près du poêle, Lyra lève la tête, mais son horloge interne marche à merveille et elle sait que nous n'allons pas nous promener, il n'est que deux heures du matin. Je me dirige vers la salle de bains, qui n'est en fait qu'un cagibi où j'ai installé une cuvette, un énorme broc d'eau et un seau dont je me sers quand il fait trop mauvais pour sortir derrière la maison. Je fais ce que j'ai à faire, puis j'enfile un pull et une paire de chaussettes et je m'assieds à la table de la cuisine. Je me verse un minuscule verre d'aquavit et j'ouvre les dernières pages de *A Tale of Two Cities*. La vie de Sydney Carton tire à sa fin, autour de lui le sang coule, à travers un voile rouge il voit la guillotine fonctionner en cadence, les têtes tombent dans le panier qu'on remplace quand il est plein, et au premier rang les tricoteuses comptent : dix-neuf, vingt, vingt et un, vingt-deux. Et il embrasse celle qui attend devant lui dans la file, il lui dit au revoir, nous nous retrouverons dans un pays où n'existent ni le temps ni le chagrin. Et bientôt il ne reste plus que lui, et il dit à lui-même et au monde : « *This is a far, far better thing than I have ever done*[1]. » Comment le contredire, dans la situation où il se trouve ? Pauvre Sydney Carton. Une lecture à vous remonter le moral, il faut bien le dire. Je souris dans ma barbe, puis j'emporte le livre dans le séjour et je le remets à sa place parmi les autres œuvres de Dickens. De retour dans la cuisine, je bois mon verre cul sec, j'éteins la lumière et je retourne me coucher. Je m'endors avant même que ma tête ne touche l'oreiller.

À cinq heures du matin je suis réveillé par le moteur d'un tracteur et par le raclement métallique d'un chasse-neige qui s'approche de la maison. Je vois les phares éclairer ma fenêtre et je comprends tout de suite ce qui se passe, mais je me retourne et je me rendors immédiatement, sans même avoir eu le temps de formuler la moindre pensée négative.

---

1. « C'est de loin la meilleure action de ma vie. » (*N.d.T.*)

13

Après la matinée passée avec Franz, la vallée me paraissait changée. Ni la forêt ni les prés n'étaient comme avant, ni la rivière, alors qu'elle était toujours la même. Et quand je réfléchissais au récit de Franz et à ce que j'avais vu sur le ponton près de la maison de Jon, mon père aussi me paraissait différent. J'ignorais s'il était plus éloigné ou plus proche, s'il était plus facile ou plus difficile à comprendre, mais il était différent ; ça, j'en étais sûr. Et je ne pouvais pas lui en parler, car il ne m'avait ouvert aucune porte et je n'avais pas le droit de m'imposer. D'ailleurs je n'étais pas du tout sûr d'en avoir envie.

Je devinais qu'il s'impatientait. Il ne se montrait pas grincheux ou énervé, non ; depuis notre arrivée il était toujours d'humeur égale, et si dans mes pensées il n'était plus le même, rien dans son aspect ne confirmait mon impression. Mais désormais il ne voulait plus attendre. Le bois devait partir tout de suite. Peu importe ce que nous avions fait dans la journée, si nous étions allés à la boutique ou à la pêche sur la rivière, si nous avions bricolé dans la cour ou enfilé nos gants pour déblayer la coupe et empiler des branches que nous brûlerions plus tard pour laisser le terrain propre derrière nous : le soir venu il descendait au moins deux fois à la rivière. Il inspectait les piles de bois, il tâtait chaque tronc et calculait les angles et la distance jusqu'à l'eau pour déterminer le trajet des grumes. Et quand il avait tout vérifié, il recommençait. À mon avis, c'était totalement inutile ; tout le monde voyait bien que le bois allait partir droit à la rivière sans rencontrer le moindre obstacle. D'ailleurs, il devait le savoir aussi. Mais il ne pouvait pas s'empêcher d'y aller. Parfois il passait un long moment à humer le bois ; il pressait son nez contre les troncs écorcés, à l'endroit où la résine continuait à luire, et il en aspirait longuement le parfum. J'ignore s'il faisait ça pour le plaisir, comme moi, ou s'il pouvait y lire des informations inaccessibles au commun des mortels. Et je ne sais pas non plus si ces informations étaient bonnes ou mauvaises. Mais elles ne contribuaient pas à diminuer son impatience.

Il a plu à verse pendant deux jours. Le lendemain soir il est allé voir Franz, et il est resté un bon moment chez lui. Quand il est rentré, j'étais allongé sur la couchette du haut. J'étais en train de lire à la lumière d'une petite lampe à pétrole, car il faisait nuit plus tôt maintenant. Il est arrivé dans la chambre et il s'est penché au-dessus du lit :

— Demain on tente le coup. On envoie le bois.

À la voix de mon père, j'ai compris que Franz n'était pas du même avis que lui. J'ai mis un marque-page dans mon livre et je me suis penché pour le laisser tomber sur la chaise :

— Chouette ! Je suis content.

Et c'était vrai. J'étais content. C'était physique ; j'avais envie de sentir les muscles de mes bras se tendre, de voir les troncs me résister et finir par céder.

— Tant mieux. Franz va venir nous aider. Maintenant il faut que tu dormes pour être en forme demain matin. Ce ne sera pas un jeu d'enfants, c'est certain ; on ne sera que trois, et il y a pas mal de bois. Je vais descendre là-bas et réfléchir un peu. Je remonterai d'ici une heure environ.

— D'accord.

Il allait s'asseoir sur un rocher près de la rivière et contempler l'eau. J'en avais l'habitude, et je ne doutais pas de ses paroles, car il faisait ça souvent.

— Tu veux que j'éteigne ? a-t-il demandé.

J'ai dit oui, et il s'est penché au-dessus de la lampe. Abritant le verre de sa main, il a soufflé dedans, et la flamme s'est changée en un mince trait rouge qui a fini par disparaître. Et tout est devenu noir, mais pas entièrement. À travers la fenêtre j'apercevais la lisière grise de la forêt et le ciel gris au-dessus des arbres, et mon père m'a dit bonne nuit, Trond, à demain, et j'ai répondu bonne nuit, à demain, puis il est sorti et je me suis tourné vers le mur. Avant de m'endormir j'ai appuyé mon front contre les rondins de bois et j'ai humé l'odeur de la forêt qui y persistait encore.

Je me suis levé une seule fois cette nuit-là. J'ai quitté ma couchette avec précaution, je me suis glissé devant celle de mon père en regardant droit devant moi pour ne pas rater la porte, et je suis allé faire un tour derrière le chalet. J'étais pieds nus et en caleçon, avec le vent qui soufflait dans les arbres au-dessus de moi. Dans le ciel dérivaient des nuages couleur de plomb que j'imaginais gorgés de pluie et prêts à éclater, mais quand j'ai penché la tête en arrière en fermant les yeux, je n'ai rien senti. Il n'y avait que l'air frais contre ma peau et le parfum de résine et de bois et l'odeur de la terre, et un oiseau solitaire dont j'ignorais le nom. S'affairant dans les fourrés à quelques mètres de moi, il faisait bruire l'épais feuillage, et son incessant pépiement m'a paru étrangement désolé au cœur de la nuit. Mais je ne sais pas si ce sentiment de désolation tenait à la solitude de l'oiseau ou à la mienne.

Quand je suis rentré, mon père dormait dans son lit, comme il me l'avait dit. Debout dans la pénombre, je voyais sa tête sur l'oreiller : ses cheveux bruns, sa barbe courte, ses yeux clos et son visage fermé. Il était plongé dans son rêve, très loin du chalet, et je n'avais aucun moyen de le rejoindre. Sa respiration était calme, il paraissait n'avoir aucun souci en ce monde, et c'était peut-être vrai. Moi non plus je n'avais pas de raisons d'en avoir, mais je me sentais inquiet et ignorant de tout. Lui, il pouvait respirer sans difficulté ; pour moi, ce n'était pas aussi simple. J'ai ouvert la bouche en grand et j'ai aspiré bien fort, mais il m'a fallu recommencer deux ou trois fois avant de sentir ma poitrine s'élargir, et j'ai dû avoir un drôle d'air, en train de haleter dans le noir au milieu de la chambre. Puis j'ai grimpé dans mon lit et je me suis glissé sous la couette. J'ai mis du temps à me rendormir. J'ai regardé le plafond en essayant de distinguer les dessins et les nœuds du bois ; ils me paraissaient bouger comme de minuscules petites bêtes aux pattes invisibles. Tout raide au début, mon corps a fini par s'assouplir au fil des minutes, ou des heures peut-être, je n'en sais rien, car je n'avais plus aucune notion du temps et de l'espace. Autour de moi les choses tournaient lentement comme les rayons d'une gigantesque roue à laquelle j'étais attaché, la nuque contre le moyeu et les pieds sur le pourtour. Pris de vertige, j'ai dû ouvrir les yeux en grand pour échapper à la nausée.

Quand je me suis réveillé pour la deuxième fois, la chambre était inondée de lumière. La matinée était déjà avancée, j'avais trop dormi, je me sentais vaseux et je n'avais pas envie de me lever.

La porte de la chambre était ouverte, et la porte d'entrée aussi. En me soulevant sur les coudes, j'ai vu les rayons obliques du soleil éclairer le sol récuré. Des odeurs de petit déjeuner me parvenaient, et j'ai entendu mon père bavarder avec Franz dans la cour. Ils m'ont paru égrener les mots sur un ton posé, calme, presque paresseux ; si la veille ils s'étaient disputés, ce n'était manifestement plus le cas aujourd'hui. Peut-être voyaient-ils maintenant tous les deux à quel point ce flottage était important pour mon père. Et alors ça valait le coup de prendre des risques. Et prendre des risques, ils savaient le faire, pour ça ils étaient bien d'accord. Quant à moi, je ne voyais pas pourquoi ce bois ne pouvait pas attendre encore un mois ou deux, ou même jusqu'au printemps prochain. Mais eux étaient debout au soleil dans la cour, et j'ai compris qu'ils étaient tranquillement en train de dresser le plan de ce qu'ils allaient faire. De passer en revue les gestes qu'ils avaient sans doute effectués ensemble tant de fois, à une époque où j'ignorais ce qu'ils faisaient.

J'ai reposé la tête sur l'oreiller et j'ai essayé de comprendre ce qui me rendait si lourd et si triste, mais rien ne venait, aucune phrase, aucune image, seulement une tache mauve derrière les paupières et une sensation de brûlure dans la gorge. Alors j'ai pensé aux grumes empilées près de la rivière. Bientôt elles allaient partir, et ça, je ne voulais pas le manquer. Je voulais les voir heurter l'eau après avoir dégringolé les unes après les autres, je voulais voir les berges se vider. Et l'odeur de nourriture m'a soudain fait prendre conscience de mon creux à l'estomac.

— Vous avez déjà mangé ? ai-je crié.

Dans la cour, ils ont éclaté de rire. Et c'est Franz qui m'a répondu :

— Non, on traîne en t'attendant.

— Ah, les pauvres ! Si c'est prêt, j'arrive !

Et j'ai décidé que j'allais être de bonne humeur, et léger comme une plume. Mobilisant toute mon énergie, j'ai sauté du lit comme j'avais l'habitude de le faire, m'appuyant sur le rebord de la couchette pour prendre mon élan, avant de balancer mes jambes dans le vide et d'atterrir en position de télémark. Mais cette fois-ci, mes cuisses et mes mollets n'ont pas pu amortir ma chute, mon genou droit a heurté le plancher et je me suis écroulé sur le flanc. J'ai failli hurler de douleur. Devant le chalet ils avaient dû entendre le choc :

— Ça va là-dedans ? a crié mon père.

Heureusement, ils sont restés à l'extérieur, Franz et lui. J'ai fait une grimace :

— Oui, tout va bien.

Mais ça n'allait pas du tout. En serrant mon genou des deux mains, j'ai réussi à m'asseoir sur la chaise à côté du lit. J'avais l'impression qu'il n'y avait rien de cassé, mais j'étais démoralisé et étourdi par la douleur. J'ai eu du mal à enfiler mon pantalon, car je ne pouvais pas plier la jambe droite. J'ai failli y renoncer et retourner au lit, mais c'était tout aussi compliqué. J'ai quand même fini par arriver à m'habiller, puis je me suis traîné jusqu'à la cuisine et je me suis assis en étendant ma jambe sous la table. Mon père et Franz étaient toujours dehors.

Après notre petit déjeuner tardif, les deux hommes ont fait la vaisselle. En rentrant, il serait crevé et il voulait que tout soit nickel, a dit mon père ; il était hors de question de retrouver ce bordel. Je n'ai pas compris pourquoi, mais ils m'ont laissé tranquille alors qu'en principe je devais toujours aider à faire la vaisselle quand ma sœur n'était pas là. De toute façon j'étais bien content d'y échapper.

Tournant le dos à la table, ils bavardaient et rigolaient en faisant tinter les verres et les tasses. Franz a entonné une chanson qu'il avait apprise de son père, et qui parlait d'un carcajou pendu au faîte d'un arbre. Or il se trouvait que mon père connaissait cette chanson grâce à son propre père, si bien qu'ils se sont mis à brailler de concert en battant la mesure avec le torchon et la brosse à vaisselle. J'imaginais ce pauvre carcajou se balançant au sommet d'un sapin, et j'ai profité de leur inattention pour poser la tête sur mes bras, car elle me paraissait si lourde, si pesante. Et j'ai sans doute piqué du nez un instant. Mais mon père s'est tourné vers moi :

— Fini de rigoler maintenant. Il va falloir qu'on se mette au travail ; hein, Trond ?

Et j'ai parfaitement entendu ce qu'il me disait.

— Oui, bien sûr, ai-je répondu, la figure pleine de bave.

Puis j'ai levé la tête. Après m'être essuyé la bouche, je me sentais déjà mieux.

J'ai traversé la cour derrière eux en m'efforçant de boiter le moins possible. Dans la remise, j'ai pris un crochet à grumes et un rouleau de corde que j'ai accroché à mon épaule. Mon père a pris un crochet à grumes, deux haches et un couteau, et Franz a pris une barre à mine et une scie bien aiguisée, car il y avait tout ça dans la remise et plein d'autres choses encore : plusieurs scies et marteaux et deux faux et deux étaux et deux rabots et des ciseaux de toutes les tailles, et des pinces accrochées à des clous, et des équerres et pas mal d'outils dont j'ignorais l'usage. C'était un atelier bien équipé que mon père s'était aménagé dans la remise, et il tenait à ses outils et en prenait soin : il les astiquait et les frottait avec toutes sortes d'huiles pour qu'ils sentent bon et durent longtemps. Et chaque chose avait sa place assignée et devait y rester, prête à servir.

Mon père a repoussé la porte et remis la barre de fermeture, puis nous sommes partis tous les trois, nos outils sous
le bras et à l'épaule. Nous nous dirigions en file indienne
vers les deux piles de troncs, mon père en premier et moi
en dernier, et le soleil brillait et faisait scintiller la rivière
dont les récents orages avaient augmenté le débit. Tout ça
aurait pu constituer l'image parfaite de cet été-là, sauf que
je continuais de boiter méchamment. Sans doute parce
qu'à l'intérieur de moi, près de l'endroit où se trouvait
l'âme, pensais-je, il devait y avoir une lassitude qui avait
empêché mes cuisses et mes mollets de me porter comme
ils l'auraient dû.

Nous avons posé nos outils sur les rochers près de la
berge, et mon père et Franz ont fait le tour de l'une des
piles. Debout côte à côte en tournant le dos à la rivière étin-
celante et impétueuse, la tête penchée et les mains sur les
hanches, ils regardaient les grumes empilées contre deux
gros madriers verticaux. Les madriers étaient maintenus en
place par des poutres obliques solidement plantées dans le
sol et qui faisaient office d'arcs-boutants. En principe, il suffisait de retirer les poutres pour faire tomber les madriers à
plat ; du coup, si la pente et la distance avaient été correctement calculées, la pile s'écroulerait et les grumes roule-
raient jusqu'à la rivière comme sur des rails. Et mon père et
Franz étaient certains de leurs calculs. Accroupis, ils enle-
vaient maintenant la terre et le gravier autour des poutres
pour pouvoir les retirer plus facilement. Après avoir bien
dégagé les poutres, ils y ont fixé une corde, puis chacun a
reculé jusqu'à une extrémité de la pile pour ne pas se
retrouver sur le trajet des grumes. Il y avait d'autres façons
de procéder, mais cette méthode était une variante inven-
tée par Franz. Il n'avait jamais réussi à faire partir toute une
pile d'un seul coup, disait-il, et il ne pensait pas y arriver

cette fois-ci non plus, car pour ça il fallait non seulement une pente bien particulière et un poids très important et des madriers drôlement costauds, mais aussi un sacré coup de veine. Et ce n'était pas sans risque. Mais quand on ne veut pas trop se fatiguer il faut savoir prendre des risques, disait Franz.

Maintenant ils tendaient les cordes et prenaient appui sur le sol avec leurs bottes. Puis ils ont compté à rebours : cinq, quatre, trois, deux, un, go! Et ils ont tiré de toutes leurs forces, et la corde a claqué, et les veines ont sailli sur leur front, et leurs visages ont viré à l'écarlate. Et rien ne s'est passé. Les poutres n'ont pas bougé. Alors Franz a recommencé le compte à rebours, puis il a de nouveau crié « go »! Et ils tiraient et gémissaient de concert, et rien ne bougeait à part les traits de leurs visages, car ils serraient les dents et leurs yeux n'étaient plus que deux fentes. Mais ils avaient beau faire des grimaces et tirer autant qu'ils le pouvaient, les poutres étaient impossibles à déloger.

— Saloperie, a dit mon père.

— Bordel de merde, a dit Franz.

— Il va falloir y aller à la hache.

— C'est dangereux. On risque de tout prendre en pleine poire.

— Je sais.

Et ils sont allés chercher deux haches dans le tas d'outils, puis ils sont retournés près de la pile. Et ils se sont attaqués aux poutres, les bras et le corps gonflés à bloc par l'irritation devant leur échec, car ils avaient l'habitude de tout réussir au premier coup. Et Franz a de nouveau crié « bordel de merde », puis :

— Il faut qu'on frappe au même rythme.

— D'accord.

Et ils se sont adaptés l'un à l'autre, et les coups secs de

leurs haches se sont mis à résonner à l'unisson. Je voyais qu'ils prenaient du plaisir à travailler ensemble, car Franz s'est mis à sourire et à rigoler, et mon père souriait aussi, et j'aurais voulu leur ressembler et avoir un ami comme Franz avec qui je ferais des projets, avec qui je me dépenserais physiquement en maniant la hache près d'une rivière comme celle-ci, qui pouvait changer tout en restant la même. Mais mon seul ami avait disparu, et personne n'en parlait. Bien sûr, il y avait mon père, mais ce n'était pas pareil. Derrière l'existence que je lui connaissais, j'avais découvert une vie secrète, et il y avait peut-être une autre vie derrière celle-là aussi. Et je ne savais plus si je pouvais lui faire confiance.

Il a commencé à accélérer la cadence, et Franz l'a imité. Puis mon père s'est mis à rigoler lui aussi en donnant des coups de plus en plus fort. Et soudain j'ai entendu un craquement.

— Cours, bordel de merde ! a-t-il crié, puis il a plongé de côté.

Dans un éclat de rire, Franz a fait pareil. Les deux poutres ont cédé l'une après l'autre. En se repliant, elles ont permis aux madriers de se rabattre exactement comme prévu, et la pile s'est déversée avec le même fracas qu'une centaine de cloches se mettant à sonner à toute volée. Ça résonnait au-dessus de la rivière et dans la forêt, et une bonne moitié des grumes a roulé jusqu'à la berge et a soulevé des gerbes d'eau. Ça écumait et ça bouillonnait, le chaos était formidable, et je me suis dit que j'avais une sacrée chance d'assister à un spectacle pareil.

Mais il restait encore pas mal de grumes, et il fallait tout faire partir. Nous nous y sommes mis tous les trois, chacun avec son crochet ; nous les poussions et les tirions, et il fallait parfois y aller à la barre à mine pour les séparer quand elles restaient coincées, ou les dégager à l'aide d'une corde. Mais elles ont toutes fini par céder. Nous les avons tirées jusqu'à la rivière avec nos crochets. Elles sont tombées à l'eau en faisant un gros plouf, puis elles ont commencé à dériver placidement. Entraînées par le courant, elles allaient traverser la vallée jusqu'en Suède.

Je me fatiguais rapidement. La sensation que j'avais espérée, qui allait me soulever et me griser et faciliter mes gestes, n'est jamais venue doper mes muscles ; ni ceux de mes jambes, ni ceux de mes bras, ni ceux du reste de mon corps. Je me sentais vide et lourd, et je devais me concentrer sur chaque tâche pour éviter que les autres ne s'aperçoivent de mon état. Mon genou me faisait mal, et quand mon père a enfin annoncé qu'il était temps de faire une pause, j'ai été soulagé. Nous avions envoyé la majeure partie de la pile à la rivière, il n'en restait plus grand-chose, mais il y avait une deuxième pile à faire partir. Je me suis glissé jusqu'au pin dont le tronc s'ornait de la croix que Franz y avait clouée une nuit de l'hiver 1944 parce qu'un homme d'Oslo au pantalon trop large et trop léger était mort à cet endroit, tué par des balles allemandes. Je me suis couché dans la bruyère, la tête contre les grosses racines, juste sous la croix, et je me suis endormi tout de suite.

À mon réveil, la mère de Jon était agenouillée à mes côtés. Le soleil l'éclairait à contre-jour et elle me caressait les cheveux ; elle portait sa robe de coton à fleurs bleues et elle avait un air grave. Elle m'a demandé si j'avais faim. Pendant un instant j'ai été l'homme au pantalon large : il n'était pas mort, il revenait à lui et il regardait celle qui se tenait à ses côtés. Puis il s'est effacé. J'ai cligné des yeux, je me suis senti rougir et j'ai tout de suite compris que j'avais dû rêver d'elle. Je n'avais aucun souvenir de mon rêve, mais il m'avait laissé une intense et étrange sensation de chaleur qu'il m'était impossible d'avouer sous son regard. J'ai hoché la tête en esquissant un sourire, et j'ai essayé de me redresser sur mes coudes.

— J'arrive.

— Dépêche-toi alors ; c'est prêt, a-t-elle dit en m'adressant un sourire si inattendu que j'ai dû me détourner pour regarder les masses d'eau qui roulaient et enflaient derrière elle.

Sur l'autre rive, derrière la clôture du pré, se tenaient maintenant deux des chevaux de Barkald ; les oreilles dressées, ils nous fixaient de leurs yeux en piaffant, pareils à deux chevaux fantômes annonçant un cataclysme.

Comme si c'était la chose la plus simple du monde, elle s'est redressée d'un seul mouvement souple, puis elle s'est dirigée vers le feu que mon père ou Franz avait allumé : il crépitait maintenant à l'endroit où s'était élevée la première pile de grumes. Ça sentait le lard frit et le café, mais aussi le tabac et le bois et la bruyère et les rochers chauffés par le soleil. Et il y avait une odeur que je n'ai connue nulle part ailleurs, une odeur dont j'ignorais l'origine. C'était peut-être tout simplement la synthèse de tout ce que contenait ce paysage près de la rivière : un dénominateur commun, une somme. Et si je devais quitter cet endroit pour ne plus y revenir, je ne connaîtrais plus jamais cette odeur.

Lars était assis un peu à l'écart du feu, sur un rocher près de l'eau. À la main il avait un paquet de grosses brindilles, et il en coupait des morceaux d'égale longueur qu'il empilait au bord de la rivière, sur une pente herbue à côté du rocher. Devant la pile il avait enfoncé deux branchettes pointues pour la retenir, et il entassait ses morceaux de bois contre elles. C'était joli à regarder, on aurait dit une pile de grumes en miniature. Je l'ai rejoint et je me suis agenouillé à côté de lui. Maintenant que j'avais dormi un peu, ma jambe allait nettement mieux. Alors je ne serais pas invalide.

— Elle est jolie, ta pile.

— C'est juste quelques brindilles.

Sa voix était grave et sourde, et il ne s'est pas retourné.

— D'accord ; c'est vrai. Mais elle est jolie quand même. Comme une miniature.

— C'est quoi, une miniature ?

J'ai réfléchi. Moi non plus, je ne savais pas exactement ce que c'était.

— C'est quelque chose de tout petit, mais qui est exactement pareil à quelque chose de grand. Sauf que c'est petit. Tu comprends ?

— Mais c'est juste quelques brindilles.

— O.K. C'est juste quelques brindilles. Tu ne viens pas manger ?

Il a secoué la tête :

— Non, a-t-il dit d'une voix à peine audible ; j'ai pas envie de manger.

Il utilisait le mot « manger », et non pas l'expression « casser la croûte », comme d'habitude.

— Bon. C'est pas grave. T'es pas obligé.

Je me suis redressé avec précaution, en prenant appui sur ma jambe gauche :

— Mais moi, j'ai faim.

Et j'ai commencé à m'en aller.

— J'ai tué mon frère, a-t-il dit.

Je me suis retourné. J'avais la bouche sèche. Ma voix n'était plus qu'un murmure :

— Je sais. Mais ce n'était pas de ta faute. Tu ne savais pas que le fusil était chargé.

— Non. Je ne savais pas.

— C'était un accident.

— Oui. C'était un accident.

— Tu es sûr que tu ne veux rien manger ?

— Oui. Je vais rester ici.

— D'accord. Tu pourras toujours venir plus tard, quand tu auras faim.

Je ne voyais que ses cheveux et une partie de son visage. Bon sang, il n'avait que dix ans. Tout était immobile et il n'avait plus rien à me dire.

Je suis remonté jusqu'au feu, où mon père était assis avec un air insouciant sur une des dernières grumes, dos à la rivière, à côté de la mère de Jon. Pas tout contre elle comme l'autre matin sur l'embarcadère, mais assez près quand même. Et leurs dos irradiaient une assurance, une suffisance dirais-je maintenant, qui m'a soudain terriblement énervé. Une assiette en fer-blanc à la main, Franz était assis sur une souche, tout seul face à eux. Je voyais son visage barbu à travers les flammes et la fumée transparente. Ils avaient déjà rompu le pain.

— Viens t'asseoir ici, Trond, a dit Franz d'une voix tendue en tapotant une souche à côté de la sienne : il faut que tu manges. Il nous reste encore pas mal de boulot. On a besoin de prendre des forces.

Mais je ne me suis pas assis à côté de lui. J'ai fait quelque chose qui, à l'époque, m'a paru inouï, et qui me le paraît encore. Je me suis approché de mon père et de la mère de Jon, j'ai enjambé la grume où ils étaient assis, et je me suis glissé entre eux. Comme il n'y avait pas assez de place, j'ai dû passer en force et mon corps s'est frotté contre les leurs. Contre celui de la mère de Jon surtout, dont la souplesse contrastait avec mes gestes brutaux et hostiles. J'avais honte de moi, mais rien ne pouvait m'arrêter, et elle s'est poussée légèrement tandis que mon père est resté raide comme un piquet.

— Ici, on est bien, ai-je dit.

— Ah, tu trouves? a répondu mon père.

— Bien sûr. Quand on est en si bonne compagnie.

Je dévisageais Franz, mais il n'a pas soutenu mon regard. Il a fini par baisser les yeux sur son assiette. Il avait la bouche bizarrement tordue et il mâchait à peine. J'ai pris une assiette moi aussi, et une fourchette, et je me suis penché en avant pour me servir dans la poêle posée bien à plat sur une pierre devant le feu.

— Ça m'a l'air bon, ai-je dit en riant.

Et je me suis rendu compte que ma voix discordante partait dans les aigus, malgré moi.

14

Je sors de mon rêve et je remonte à grand-peine vers la lumière, je *vois* la lumière au-dessus de moi. J'ai l'impression de me trouver sous l'eau, j'aperçois la surface bleue et irisée, si proche et pourtant hors d'atteinte, car rien n'est rapide dans ces profondeurs mauves. Je connais ces lieux, mais à présent je ne suis pas certain d'arriver à remonter assez tôt. Je tends les bras aussi loin que possible, l'épuisement me fait tourner la tête, et soudain je sens l'air frais contre mes paumes. Je donne des coups de pied, je prends de la vitesse, mon visage affleure la pellicule que je voyais au-dessus de moi et en desserrant les lèvres je peux enfin respirer. Puis j'ouvre les yeux, mais au lieu de faire jour, il fait aussi sombre que dans les profondeurs. La déception me laisse un goût de cendre dans la bouche ; ce n'était pas cet endroit que je voulais atteindre. Je respire à fond, je serre les dents et je m'apprête à replonger. Et je comprends alors que je suis couché dans mon lit dans l'alcôve à côté de la cuisine, qu'il est tôt et qu'il fait encore nuit noire. Et je n'ai plus besoin de retenir mon souffle. Je laisse mes poumons se vider. Enfoui dans mon oreiller, je ris de soulagement, et avant même de comprendre pourquoi, je fonds en larmes. C'est nouveau, ça ; je ne me rappelle pas quand j'ai pleuré pour la dernière fois. Mes larmes coulent pendant un bon moment, et je me demande ce qui se passera le jour où je n'arriverai pas à remonter à la surface. Est-ce que ça voudra dire que je serai mort ?

Mais ce n'est pas pour ça que je pleure. Pour m'approcher de ça, pour savoir à quoi ça ressemble, il suffirait que je m'allonge dans la neige et que j'attende que mon corps soit engourdi par le froid. Je pourrais facilement m'y préparer. Mais ce n'est pas la mort que je crains. Je me tourne vers la petite table de nuit et je regarde le cadran lumineux du réveil. Il est six heures. C'est mon heure. Ma journée commence. Je rabats la couette et je me redresse. Cette fois-ci je ne sens aucune douleur dans le dos. Je m'assieds sur le bord du lit et pose mes pieds sur la carpette censée leur éviter le choc du froid pendant l'hiver. Il va falloir que je refasse le plancher avec un matériau isolant. Au printemps prochain, peut-être, si j'en ai les moyens. Mais bien sûr que j'en ai les moyens. Quand est-ce que je vais cesser de m'inquiéter pour l'argent ? J'allume la lampe de chevet. Je cherche mon pantalon posé sur la chaise, je l'attrape, et puis je m'arrête. Je ne sais pas. Peut-être ne suis-je pas prêt. J'ai pourtant des choses à faire. Je dois changer les lattes des marches devant la porte avant que quelqu'un ne passe à travers et s'esquinte les pieds, c'est ce que j'avais prévu de faire aujourd'hui. J'ai acheté du bois traité et des pointes de 75 ; ça devrait suffire, il m'a semblé que 100, c'était trop gros. Et il y a aussi les bûches du sapin à fendre, je ne m'en suis pas encore occupé, mais il ne faudra pas trop tarder maintenant qu'on arrive bientôt en hiver. Car on dirait qu'il approche. Et ensuite Lars va venir, et on va remorquer la grosse racine avec ses chaînes. Ça va être amusant, me dis-je. Si on y réussit. Je jette un œil par la fenêtre. La neige s'est arrêtée. J'aperçois les contours des talus de neige le long du chemin. Ce ne sera sans doute pas facile aujourd'hui de travailler dehors.

Je lâche mon pantalon et je repose la tête sur l'oreiller. Ce rêve, il ne me plaît pas. Je sais que je pourrais le reconstituer, je suis doué pour ça; en tout cas je l'étais autrefois. Mais je ne sais pas si j'en ai envie. C'était un rêve érotique, j'avoue qu'il m'arrive souvent d'en faire, ce n'est pas réservé aux adolescents. La mère de Jon y était présente avec son aspect de 1948, et moi avec mon aspect d'aujourd'hui, un bon demi-siècle plus tard, à soixante-sept ans. Mon père y figurait peut-être aussi quelque part à l'arrière-plan, parmi les ombres; c'est l'impression que j'ai. Au souvenir de ce rêve je sens mon estomac se nouer. Je ferais sans doute mieux de ne plus y penser, de le laisser couler au fond de moi et s'y déposer parmi tant d'autres rêves auxquels je me refuse à toucher. J'ai passé l'âge où les rêves pouvaient me servir à quelque chose. Je n'ai plus l'intention de changer quoi que ce soit à ma vie, je vais rester ici. Si tout va bien. C'est ça, mon projet.

Je me lève. Il est six heures un quart. Lyra quitte sa place près du poêle, se dirige vers la porte et m'attend. Elle tourne la tête et me regarde, et il y a dans ses yeux une confiance que je ne suis pas certain de mériter. Mais peut-être n'est-ce pas une question de mérite, peut-être vous fait-on confiance indépendamment de ce que vous êtes, de ce que vous avez fait, peut-être n'y a-t-il rien à mettre dans la balance. Ce serait bien. Good dog, Lyra, dis-je dans ma tête, good dog. J'ouvre les portes du couloir et de l'entrée et je la laisse sortir. Après avoir allumé la lumière extérieure, je la suis, et je la regarde gambader dans la neige baignée de jaune. Les congères envahissent la cour, sauf dans le grand cercle parfaitement déblayé par Åslien, qui a soigneusement contourné ma voiture. La grosse racine devait le gêner, et il l'a poussée avec son chasse-neige avant de la déposer à l'endroit où elle se trouve maintenant : en bordure de la cour, prête à être remorquée. Il a même dégagé un chemin près du mur, là où je passe toujours pour aller pisser à la lisière de la forêt quand je veux éviter de remplir ma fosse, qui n'est pas bien grande. Peut-être a-t-il voulu me suggérer de garer ma voiture à cet endroit-là pour ne pas le gêner. À moins qu'il n'ait des cabinets à l'extérieur lui aussi.

Laissant Lyra explorer seule ce nouveau monde tout blanc, je rentre en refermant la porte derrière moi et je commence à allumer le poêle. Aujourd'hui ça se passe sans le moindre problème, et bientôt un crépitement rassurant se fait entendre derrière les plaques de fonte. Pour l'instant je renonce à me servir du plafonnier, laissant la pièce dans la pénombre, éclairée seulement par les flammes orange du poêle dont les lueurs mouvantes envahissent le sol et les murs. Le spectacle apaise ma respiration ; il me réconforte de la même manière qu'il a dû réconforter le genre humain pendant des millénaires : les loups peuvent bien hurler ; ici, près du feu, nous sommes en sécurité.

Je prépare le petit déjeuner sans allumer le plafonnier. Puis je fais entrer Lyra, qui s'installe près du poêle pour se réchauffer en attendant notre promenade. Assis à la table, je regarde par la fenêtre. J'ai éteint la lumière extérieure pour mieux faire ressortir la brillance des choses, mais le jour n'est pas encore levé. Je n'aperçois qu'un vague reflet rose au-dessus des arbres près du lac ; des lignes confuses tracées par des crayons de couleur à la pointe trop dure. Pourtant, à cause de la neige, tout me paraît plus distinct qu'avant ; il y a une démarcation très nette entre le ciel et la terre, et ça, depuis le début de l'automne, c'est nouveau. Je mange lentement sans penser à mon rêve. Puis je débarrasse la table et je vais dans le couloir. J'enfile mes grandes bottes et mon vieux caban bien chaud, je mets des gants et un bonnet à oreillettes et l'écharpe en laine que je porte depuis au moins vingt ans. Quelqu'un l'a tricotée pour moi à une époque où j'étais seul et divorcé ; je ne me rappelle plus son nom, mais je me souviens de ses mains qui s'activaient sans cesse. Elle-même en revanche était calme et d'une nature discrète ; seul le cliquetis de ses aiguilles à tricoter animait son silence. À la longue, tout ça m'a paru un peu morne, et petit à petit, nos relations ont fini par tourner court.

Lyra attend déjà devant la porte en remuant la queue. Je prends la lampe de poche posée sur l'étagère, je dévisse le bout et je remplace les vieilles piles par des neuves que je garde toujours en réserve sur la même étagère. Ensuite nous allons sortir. Moi d'abord et elle derrière moi, quand je lui en donnerai l'ordre. Mais elle attend volontiers, car elle connaît nos habitudes. Et elle sourit comme seul un chien sait sourire, et quand je dis « viens » elle fait un bond silencieux d'au moins un mètre au-dessus des marches et manque d'atterrir contre mes genoux. Elle a gardé son caractère de chiot.

J'allume la lampe et nous empruntons le chemin déblayé avec soin par Åslien. Les talus de neige bien nets forment une belle courbe jusqu'au pont et au chalet de Lars, et ils doivent sans doute se prolonger entre les sapins jusqu'à la route nationale. Nous nous arrêtons, et je dirige ma torche vers le sentier qui longe la rivière jusqu'au lac. La neige y paraît profonde et je me demande si j'aurai le courage de patauger dedans. Mais dans ce cas nous n'aurons pas le choix : il faudra continuer tout droit. Nous n'allons jamais par là, il y a juste un petit bout de sentier à parcourir avant d'arriver à la nationale, où je dois mettre Lyra en laisse à cause des voitures ; ce n'est pas très agréable, ni pour elle ni pour moi. Autant retourner en ville et marcher dans les rues sinistres que j'ai arpentées pendant trois ans en me répétant qu'il fallait arrêter ça, qu'il fallait faire quelque chose, sinon j'étais foutu. Et je me dis : mais pourquoi craindre la fatigue, qu'est-ce que j'ai encore à faire dans cette vie qui m'oblige à économiser mes forces ? Et j'enjambe le talus de neige et les premières congères et j'avance en m'éclairant de ma lampe. Par endroits le vent a déblayé le sentier, qui est ferme et agréable sous mes pas. Mais il m'arrive aussi de m'enfoncer dans la neige, et j'ai bien fait de mettre mes grandes bottes. Je les soulève en lançant mes jambes en avant, la droite d'abord et la gauche ensuite, puis je les laisse retomber, la droite d'abord et la gauche ensuite. Et ainsi je progresse péniblement. Au-dessus de moi le ciel s'éclaircit et les étoiles apparaissent ; elles sont un peu pâles maintenant que la nuit tire à sa fin, mais il n'y aura plus de neige dans l'immédiat. Quand le jour se lèvera, le soleil brillera, mais son éclat sera sans doute moins violent et sa chaleur moins intense que lors de cette journée dont le souvenir me revient soudain. C'était en 1945, vers la fin du mois de juin, et ma sœur et moi étions debout devant la fenêtre du premier étage, où nous avions vue sur le fjord d'Oslo et le Bunnefjord et la péninsule de Nesodden. Il faisait un temps d'été et l'eau brillait sous une lumière éblouissante et sur le fjord des bateaux croisaient avec frénésie, car la Norvège était enfin libérée ; ils voguaient toutes voiles dehors d'une rive à l'autre et viraient vent devant dans leur ardeur et ne s'en lassaient jamais, et ceux qui étaient à bord chantaient à tue-tête et n'en avaient pas honte, et tant mieux pour eux. Mais tout ça commençait à me lasser, l'attente m'avait épuisé, ces gens, je les avais déjà vus partout : sur l'esplanade de Studenterlunden, dans les buvettes sur les collines, à la plage de Ingierstrand et à celle de Fagerstrand quand on nous avait prêté un bateau pour y aller. Et ils braillaient et s'époumonaient et refusaient d'admettre que la fête était finie. Ainsi, ce n'était pas le fjord que nous regardions, car de ce côté il n'y avait rien à attendre. Non, ce jour-là ma sœur et moi observions la rue escarpée que mon père remontait depuis la gare de Ljan, lentement, prudemment, très en retard, revenant de Suède dans un complet gris élimé, avec un sac à dos gris d'où dépassait un objet ressemblant à une canne à pêche. Et il ne traînait pas la jambe, il ne boitait pas, il ne paraissait pas blessé, mais il avançait avec lenteur, comme dans un vaste silence, un immense vide. Aujourd'hui, je ne me rappelle plus pourquoi nous étions devant la fenêtre, pourquoi nous n'étions pas allés à la gare bien avant l'arrivée du train, pourquoi nous n'étions pas descendus à sa rencontre. Peut-être parce que nous étions timides. Moi en tout cas, je l'étais certainement, comme toujours. Et ma mère se tenait dans l'embrasure de la porte ; elle se mordait les lèvres et tordait son mouchoir trempé et ne tenait pas en place. Elle trépignait comme si elle avait besoin d'aller aux toilettes, et soudain elle s'est précipitée dans la rue. Et elle s'est jetée au cou de mon père, au vu et au su des voisins qui l'observaient dans leurs jardins et qui n'ont rien voulu manquer du spectacle. Elle n'a fait que ce qu'elle devait faire, elle était encore jeune à l'époque et pleine de vie, mais l'image que je conserve d'elle est celle de la femme qu'elle est devenue plus tard : amère, marquée, alourdie.

Mon père devait s'attendre à être accueilli de la sorte ; c'est du moins ce que je pense. Nous ne l'avions pas vu depuis huit mois, et nous n'avions eu de ses nouvelles que deux jours plus tôt. Nous savions donc qu'il allait venir. Ma sœur a dévalé l'escalier et s'est mise à imiter chaque geste de ma mère, à mon grand embarras, car je n'étais pas du genre à m'exalter. Je l'ai suivie d'un pas hésitant, puis je me suis arrêté près de la boîte aux lettres. M'y adossant, je les voyais toutes les deux s'agripper à mon père. Et par-dessus leurs épaules j'ai aperçu son regard, perdu et désespéré. Puis ses yeux ont rencontré les miens. Timidement, j'ai hoché la tête. Il a hoché la tête à son tour, en esquissant un sourire. Un sourire destiné à moi seul, un sourire clandestin. Et j'ai compris qu'à partir de maintenant nous étions liés, qu'il y avait un pacte entre nous. Malgré sa longue absence, je me suis senti plus proche de lui ce jour-là qu'avant la guerre. J'avais douze ans, et en un instant le centre de gravité de ma vie avait basculé, passant d'elle à lui. Et mon existence allait prendre un cours nouveau.

Mais peut-être étais-je trop optimiste.

Le souffle court, je me dirige vers le banc enseveli sous la neige, face au lac. Face au Lac des cygnes dis-je en mon for intérieur, comme un gosse. Et les eaux noires du Lac des cygnes s'étalent devant moi dans la lumière de ma lampe de poche. Il n'est pas encore pris dans les glaces, le froid n'est pas assez cinglant. Et il n'y a aucun cygne en vue à cette heure-ci. Ils doivent sans doute passer la nuit sur la terre ferme, entre les joncs, la tête sous l'aile ; je les imagine avec leurs longs cous semblables à des festons de plumes, attendant le lever du jour pour réapparaître. Tant que le lac est encore libre de glace ils viennent chercher leur nourriture sous l'eau, près des berges. Je ne me suis jamais demandé ce qu'ils feront quand il gèlera ; vont-ils s'envoler vers le sud ou rester ici jusqu'au printemps ? Y a-t-il des cygnes en Norvège pendant l'hiver ? Il faudra que je me renseigne.

Je balaie la neige sur le banc avec de grands mouvements de bras circulaires, j'en fais disparaître les dernières traces avec mes gants, je tire sur mon caban pour me protéger les fesses, et je m'assieds. L'air ravi, Lyra s'ébroue dans la neige. À un endroit précis elle commence à se rouler dans tous les sens, les pattes en l'air; elle frotte énergiquement son dos dans la neige pour s'imprégner de l'odeur d'un animal qui a dû s'y vautrer. Un renard, peut-être. Dans ce cas il faudra la laver en rentrant; ce n'est pas la première fois qu'elle me fait le coup et je connais l'odeur qu'elle va répandre dans la cuisine. Mais pour le moment il fait encore nuit, et je vais rester au bord du Lac des cygnes et laisser vagabonder mes pensées.

15

Je grimpe la côte jusqu'à la maison. L'aurore colore le ciel de rouge et de jaune, la température monte, je le sens à mon visage, et il n'est pas impossible que la neige fonde presque entièrement, peut-être même dans la journée. Sur le coup, je suis déçu ; peu importe ce que j'ai pu penser tout à l'heure.

Une voiture est garée dans la cour, à côté de la mienne. Je l'aperçois en arrivant à mi-côte, c'est une Mitsubishi Spacewagon blanche, le même modèle que j'avais envisagé d'acheter parce que son air rustique convenait bien à la maison où j'allais m'installer. C'est ainsi que ma nouvelle vie m'était apparue à l'époque, quand j'avais pris ma décision : elle était rustique. Et ça me plaisait ; je me sentais moi-même assez rustique après ces trois années passées dans un couloir de verre où le moindre mouvement faisait tout craquer. Et le premier vêtement que je me suis offert après mon déménagement a été une chemise à carreaux rouges et noirs en flanelle épaisse, d'un genre que je n'avais pas porté depuis les années cinquante.

Devant la Mitsubishi blanche il y a quelqu'un ; une femme, on dirait. Vêtue d'un manteau de couleur foncée, elle est tête nue, et il est difficile de dire si ses boucles blondes relèvent de l'artifice ou de la nature. Elle n'a pas coupé le contact, car je vois les gaz d'échappement se détacher, blancs et silencieux, sur le fond plus sombre des arbres. Elle attend tranquillement en s'abritant les yeux d'une main pour scruter le chemin que je remonte, et sa silhouette me rappelle quelqu'un, je l'ai déjà vue. Puis Lyra l'aperçoit et se précipite vers elle. Tout à l'heure, en arrivant sur le chemin, je n'ai pas entendu de bruit de moteur ni remarqué de traces de pneu dans la neige, mais de toute façon je n'attendais personne, pas si tôt dans la matinée. Il ne doit guère être plus de huit heures. Je regarde ma montre : huit heures et demie. Bon.

C'est ma fille qui est là. L'aînée. Elle s'appelle Ellen. Elle a allumé une cigarette, et elle la tient comme elle l'a toujours fait, entre le bout des doigts, le bras tendu, comme si elle s'apprêtait à la passer à quelqu'un. Comme si elle voulait faire croire que cette cigarette n'était pas la sienne. Rien qu'à ce geste je l'aurais reconnue. Après un rapide calcul je me dis qu'elle doit avoir trente-neuf ans. Elle est encore pas mal. Elle ne doit pas tenir de moi, mais de sa mère, qui était une jolie femme. Ça fait au moins six mois que je ne l'ai pas vue, et je ne lui ai pas parlé depuis que je me suis installé ici. Depuis bien avant, même. À vrai dire je n'ai pas souvent pensé à elle, ni à sa sœur. J'ai eu tant d'autres préoccupations. J'arrive en haut de la côte. Lyra remue la queue devant Ellen, qui lui caresse la tête ; elles ne se connaissent pas, mais Ellen aime les chiens qui le lui rendent bien. Elle les a toujours aimés, depuis toute petite. Si je ne me trompe pas, elle avait un chien la dernière fois que je suis allé la voir. Un chien marron. C'est tout ce dont je me souviens. Mais c'était il y a un moment déjà. Je m'arrête en essayant d'arborer un sourire aimable. Elle se redresse et me regarde.

— C'est toi ? dis-je.

— Eh oui. C'est une surprise, j'imagine.

— Je ne peux pas dire le contraire. Tu es bien matinale.

Elle esquisse une sorte de demi-sourire qui s'efface petit à petit, puis elle tire une bouffée de sa cigarette et souffle lentement la fumée en écartant le bras presque à l'horizontale. Elle ne sourit plus. Ça m'inquiète vaguement.

— Matinale ? Peut-être. Je n'arrivais pas à dormir, je pouvais aussi bien prendre la route tout de suite. Je suis partie vers sept heures, alors que tout le monde avait quitté la maison. Je me suis accordé la journée, je l'avais décidé il y a longtemps. Je n'ai mis qu'un peu plus d'une heure, finalement, pour venir jusqu'ici. J'avais pensé que ce serait plus long. Ça fait bizarre, en fin de compte, que ce ne soit pas plus long. Je viens juste d'arriver. Il y a un quart d'heure seulement.

— Je n'ai pas entendu la voiture. J'étais dans la forêt, près du lac. Il y avait pas mal de neige là-bas.

Je me retourne et fais un geste en direction du lac. Quand je me tourne de nouveau vers elle, elle a déjà écrasé sa cigarette et franchi les deux ou trois pas qui nous séparaient. Elle met ses bras autour de mon cou et elle m'embrasse. Elle sent bon, et elle n'est pas plus grande qu'avant. Ce qui n'a rien d'étonnant ; on ne grandit pas beaucoup entre trente et quarante ans. Mais il fut un temps où je passais une bonne partie de l'année à voyager, à sillonner la Norvège dans tous les sens, et à chaque retour, je constatais que les gamines avaient grandi ; c'est du moins l'impression que j'avais. Et elles étaient assises en silence sur le canapé, et je sais qu'elles fixaient la porte par laquelle j'allais entrer, et je me rappelle comme j'étais troublé et mal à l'aise de les voir là, intimidées et pleines d'espoir, quand j'arrivais enfin. Et maintenant je suis de nouveau mal à l'aise, car elle me serre fort dans ses bras :

— Salut, mon papa. Je suis contente de te voir.

— Salut, ma puce. Moi aussi je suis content.

Elle ne me lâche pas, ne bouge pas, et sa voix dans mon cou est à peine audible :

— J'ai dû appeler toutes les mairies dans un rayon de cent kilomètres pour te trouver. Ça m'a pris des semaines. Tu n'as même pas le téléphone.

— Je crains bien que non.

— Ah, tu crains bien que non. Mais merde, enfin.

Elle se met à me frapper dans le dos, tout en haut, avec son poing. Elle frappe même assez fort.

— Fais attention ; n'oublie pas que je suis vieux maintenant.

J'ai l'impression qu'elle pleure, mais je n'en suis pas sûr. En tout cas, elle me serre si fort que j'ai du mal à respirer, mais je ne la repousse pas, je me contente de retenir mon souffle, et je l'entoure de mes bras, un peu trop timidement sans doute, en attendant qu'elle veuille bien me lâcher. Et quand elle finit par le faire, je laisse retomber mes bras et je recule d'un pas pour mieux respirer.

— Et si tu coupais le contact maintenant ? dis-je, un peu essoufflé, avec un mouvement de tête en direction de la Mitsubishi.

La carrosserie blanche fraîchement astiquée me renvoie les premiers rayons du soleil. Ils m'éblouissent. Ça me fait mal. Je ferme les yeux.

— Oui. Bien sûr. Puisque tu es là. Je n'avais même pas reconnu ta voiture. Je me demandais si je ne m'étais pas trompée d'endroit.

Je l'entends marcher dans la neige pour contourner sa voiture. Je fais quelques pas, puis j'ouvre les yeux. Je la vois ouvrir la portière, se pencher à l'intérieur, tourner la clé et éteindre les phares. Il n'y a plus un bruit. Apparemment, elle a dû pleurer un peu.

— Entrons ; je vais nous préparer du café. Il faut que je m'assoie un peu, j'ai les jambes coupées à force de marcher dans la neige. Je suis vieux maintenant, je te l'ai déjà dit. Tu as pris ton petit déjeuner ?

— Non. J'étais trop pressée.

— Alors on va arranger ça. Viens.

Au mot « viens », Lyra réagit instantanément. Elle monte les deux marches et nous attend devant la porte.

— Elle est jolie. Ça fait combien de temps que tu l'as ? Ce n'est plus un chiot, je veux dire.

— Ça fait un peu plus de six mois. Je suis allé dans cette ferme près d'Oslo où ils s'occupent de placer des chiens. Je ne sais plus comment ça s'appelle. Je l'ai adoptée tout de suite, je n'ai pas hésité une seconde, elle est venue vers moi en remuant la queue. Elle me faisait du charme, dis-je en esquissant un sourire. Mais ils ne connaissaient pas son âge et ne savaient pas de quelle race elle était.

— C'est le refuge de la SPA. J'y suis allée une fois. En ce qui concerne sa race, ça doit être un joyeux mélange. En Angleterre, on parle de « British Standard » ; c'est une façon gentille de dire qu'il s'agit d'un croisement de tout ce qu'on voit traîner dans les rues. Mais elle est vraiment jolie. Elle s'appelle comment ?

Ellen a fait des études en Angleterre pendant deux ans, et ça lui a bien réussi. Mais à l'époque elle était déjà adulte. Avant ça, il y a eu une longue période où pas grand-chose ne lui réussissait.

— Elle s'appelle Lyra. Mais ce n'est pas moi qui lui ai trouvé ce nom. C'était marqué sur son collier. En tout cas je suis content de l'avoir choisie. Je n'ai pas regretté un instant. On est heureux ensemble, et sa présence rend la solitude plus facile à supporter.

Avec cette dernière phrase je me fais l'effet de geindre, de ne pas assumer la vie que je mène. Or je n'ai pas besoin de me défendre, je n'ai pas à fournir d'explications à qui que ce soit, pas même à ma fille que j'aime bien et qui a quitté la banlieue d'Oslo au petit matin, puis roulé sur des routes mal éclairées dans sa Mitsubishi Spacewagon et traversé plein de villages pour venir me voir, pour découvrir où j'habite. Puisque je ne le lui avais pas dit et que je n'avais même pas pensé qu'il fallait le faire. Ça peut paraître surprenant, je le comprends maintenant. Mais elle a de nouveau les yeux humides, et ça m'énerve un peu.

J'ouvre la porte. Lyra est toujours assise sur la marche ; tant qu'Ellen et moi n'avons pas pénétré dans le couloir, elle ne bouge pas. Ensuite je lui adresse le petit geste qui signifie qu'elle peut venir. Je prends le manteau de ma fille, je le suspends à une patère, et je la fais entrer dans la cuisine. Il y fait encore bon. Je jette un œil dans le poêle et je vois qu'il y a encore pas mal de braises.

— Ça va aller, dis-je en ouvrant la huche à bois.

Je répands quelques copeaux de bois sur les braises, je les recouvre de papier journal et je pose trois bûches pas trop grandes sur le dessus, puis j'ouvre le clapet de tirage. Le feu ne tarde pas à prendre.

— C'est joli chez toi, dit-elle.

Je referme le poêle et je regarde autour de moi. Je ne sais pas si elle a raison. J'ai toujours pensé qu'avec le temps, quand j'aurais fait les améliorations prévues, la maison finirait par être jolie. Mais elle est propre et bien rangée. C'est peut-être ce qu'Ellen a voulu dire : qu'elle ne s'attendait pas à ça chez un homme seul et âgé, et qu'elle est agréablement surprise. Dans ce cas elle se souvient mal de l'époque où nous vivions sous le même toit. Je n'aime pas le désordre ; je ne l'ai jamais supporté. Je suis assez maniaque : chaque objet doit être à sa place, prêt à l'emploi. La poussière et la saleté me rendent nerveux. Si je commence à négliger le ménage, je suis foutu, surtout dans une vieille maison comme celle-ci. Une de mes hantises, c'est de me retrouver dans la peau du vieux type à la veste élimée et à la braguette mal fermée qui se pointe devant la caisse de la coopérative avec une chemise tachée de jaune d'œuf parce qu'il ne se regarde même plus dans la glace. Un naufragé, dérivant au gré de ses pensées floues sur un océan de temps qui se détraque.

Je l'invite à s'asseoir, puis je remets de l'eau dans la bouilloire. Quand je la pose sur la plaque électrique, j'entends un grésillement. J'ai dû oublier de l'éteindre tout à l'heure ; c'est embêtant, mais je ne crois pas qu'Ellen ait remarqué quoi que ce soit. Alors je fais comme si de rien n'était et je coupe quelques tranches de pain que je dispose dans un panier. Je sens tout d'un coup la nausée et l'irritation me gagner, et je vois que mes mains tremblent. Je ne veux pas qu'elle s'en aperçoive, et je me détourne légèrement en passant devant la table pour aller chercher du sucre et du lait et des serviettes bleues et tout ce qu'il faut pour que ça ait l'air d'un vrai repas. En fait, j'ai déjà copieusement mangé il y a quelques heures et je n'ai plus faim, mais je veille à ce qu'il y ait assez de nourriture pour deux, car elle serait peut-être gênée si je ne lui tenais pas compagnie. Après tout, ça fait longtemps que nous ne nous sommes pas vus. Mais je sens que je me passerais bien d'avaler quoi que ce soit. Et maintenant je suis obligé de m'asseoir, car j'ai fini de mettre la table.

Depuis un moment elle observe le lac à travers la fenêtre. Je suis son regard :

— Je l'appelle le Lac des cygnes.

— Alors il y a des cygnes là-bas?

— Bien sûr. Deux familles, apparemment.

Elle se tourne vers moi :

— Raconte. Raconte-moi comment tu vis vraiment.

Comme s'il pouvait exister deux versions de ma vie.

Elle n'a plus les yeux humides, mais sa voix est empruntée. On dirait une juge d'instruction, mais je sais que c'est un rôle qu'elle joue. Et derrière son masque elle n'a pas changé. C'est du moins ce que j'espère : que la vie n'a pas fait d'elle une commère. Je respire à fond et fais un effort pour me calmer, puis je glisse mes mains sous mes cuisses et je commence à raconter mes journées : tout se passe bien, je bricole et je coupe du bois, je fais de longues promenades avec Lyra, et j'ai un voisin qui vient me donner un coup de main quand j'en ai besoin, il s'appelle Lars et il sait se servir d'une tronçonneuse. On a beaucoup de choses en commun, dis-je avec un sourire qui se veut plein de sous-entendus, mais elle n'a pas l'air de vouloir saisir la perche que je lui tends et je n'insiste pas. Je lui raconte qu'avec l'approche de l'hiver j'ai eu peur de la neige, mais que j'ai trouvé une solution, d'ailleurs elle a dû s'en rendre compte en arrivant, car j'ai un accord avec un paysan qui s'appelle Åslien. Il a un tracteur équipé d'un chasse-neige et il me déblaie le chemin. Contre rémunération, bien entendu. Et alors ça va, dis-je en souriant : je m'organise. Et j'écoute la radio ; quand je suis à la maison j'écoute la radio toute la matinée, et le soir je lis. Un peu de tout, mais surtout du Dickens.

Elle me sourit. C'est un sourire franc ; finis les yeux humides et la voix empruntée.

— Tu lisais toujours Dickens quand tu étais à la maison ; je m'en souviens très bien. Tu étais assis dans ton fauteuil, complètement absorbé dans ton livre, et quand je m'approchais pour te tirer la manche et te demander ce que tu lisais, j'avais toujours l'impression que tu ne me reconnaissais pas. Puis tu me répondais « Dickens » en me regardant d'un air grave. Et je me suis dit que lire Dickens, ça devait être autre chose que de lire n'importe quel livre ; ça devait être quelque chose de spécial qui n'était pas à la portée de tout le monde ; c'est le sentiment que j'ai eu. Je n'avais même pas compris que Dickens, c'était le nom de l'auteur. J'ai cru que c'était le nom d'un certain type de livres que nous étions les seuls à posséder. Et je me rappelle que parfois tu me faisais la lecture.

— Je faisais ça ?

— Oui, tu me faisais la lecture. De *David Copperfield* ; ça, je l'ai découvert plus tard, à l'âge adulte, quand j'ai décidé de le lire moi-même. À l'époque, tu n'avais jamais l'air de te lasser de *David Copperfield.*

— Il y a longtemps que je ne l'ai pas lu.

— Mais tu l'as, je suppose ?

— Bien sûr.

— Alors tu devrais le relire.

Et elle appuie ses coudes sur la table et y pose son menton avant de réciter :

— « Deviendrai-je le héros de ma propre vie, ou bien cette place sera-t-elle occupée par quelque autre ? À ces pages de le montrer[1]. »

Elle sourit de nouveau :

— Ce début m'a toujours fait peur, parce qu'il laisse entendre que nous ne serons pas forcément le personnage

---

1. Traduction de Madeleine Rossel, André Parreaux et Lucien Guitard, sous la direction de Léon Lemercier, revue et complétée par Francis Ledoux et Pierre Leyris, Bibliothèque de la Pléiade, 1954.

principal de notre propre existence. Je ne comprenais pas comment ça pouvait être possible, une horreur pareille : une sorte de vie fantôme où je serais réduite à contempler celle qui aurait pris ma place, à la haïr et à l'envier sans rien pouvoir faire, puisque, à un moment ou un autre, je serais tombée de ma vie comme on tombe d'un avion. Et je m'imaginais flotter dans les airs sans pouvoir regagner mon siège, où une autre était assise à ma place. Pourtant, c'était mon siège, et j'avais mon billet à la main.

Je ne sais pas quoi répondre. J'ignorais qu'elle avait eu ce genre de pensées. Elle ne m'en a jamais rien dit. Il y a des explications à ça, bien sûr ; peut-être n'étais-je pas présent au moment où elle avait besoin de se confier à moi. Mais elle n'imagine pas le nombre de fois où j'ai pensé exactement la même chose en lisant les premières lignes de *David Copperfield*. Et malgré cela, tétanisé d'angoisse, je n'ai jamais pu m'empêcher de tourner les pages et de continuer ma lecture, car je voulais voir si l'ordre était rétabli à la fin. Et bien sûr il l'était. Mais avant de me sentir en sécurité, il me fallait beaucoup de temps. Dans le livre. Dans la réalité, c'est autre chose. Dans la réalité, la situation a évolué de telle sorte que je n'ai pas le courage de poser à Lars la question qui me taraude :

As-tu pris la place qui m'était destinée ? Est-ce à toi qu'on a donné une partie de ma vie ?

Mon père n'avait pas refait son existence en Afrique du Sud ou au Brésil, à Vancouver ou à Montevideo ; ça, j'en ai toujours été persuadé. Il n'avait pas fui après un acte commis sous l'effet de la colère ou pour échapper à une vie que le destin avait transformée en un champ de ruines ; il ne s'était pas sauvé par une claire nuit d'été, le regard apeuré, comme Jon. Mon père n'était pas un marin. Il était resté près de la rivière ; ça, j'en suis sûr. Et si Lars ne m'en parle jamais, si Lars ne l'a pas mentionné une seule fois depuis que nous nous sommes revus, c'est certainement parce qu'il veut me ménager. Ou alors il n'arrive pas mieux que moi à cerner ce qui nous relie tous, et il n'a pas les mots pour en parler. Ça, je peux le comprendre. Presque toute ma vie, j'ai eu le même sentiment.

Mais maintenant je ne veux pas y penser. Je me lève précipitamment et dans ma hâte je bouscule la table ; les tasses rebondissent, le café gicle sur la nappe, le pot jaune se renverse et un mélange de lait et de café se met à couler en direction des genoux d'Ellen. Tout ça parce que sol est en pente ; il y a une dénivellation de cinq bons centimètres d'un mur à l'autre. Je l'ai mesurée. Il va falloir que j'y remédie, mais refaire le plancher n'est pas une mince affaire. Ce sera pour plus tard.

Ellen recule sa chaise et se lève avant que le petit ruisseau n'ait atteint le bord de la table. Elle attrape un coin de la nappe, la replie et arrête l'inondation à l'aide de deux serviettes.

— Désolé ; j'ai été un peu brusque, dis-je en m'apercevant avec étonnement que les mots sortent de ma bouche par saccades, comme si j'étais hors d'haleine après avoir couru.

— Rien de grave. On va vite enlever cette nappe et la rincer dans l'évier. Ensuite, il suffira d'un peu de poudre à laver pour venir à bout des dégâts.

Elle prend les choses en main comme personne n'a osé le faire chez moi, et je ne proteste même pas. En un clin d'œil elle a déplacé tasses et assiettes, emporté la nappe et ouvert le robinet. Elle passe la nappe sous l'eau, l'essore délicatement et la met à sécher sur une chaise devant le poêle.

— Tu pourras la mettre dans la machine plus tard.

J'ouvre la huche et rajoute quelques bûches dans le feu.

— Mais je n'ai pas de machine à laver, dis-je.

Ma phrase me paraît si pleurnicharde que je me mets à glousser, mais mon petit rire ne sonne guère mieux. Et Ellen s'en rend compte, je le vois bien. Dans la situation où je me trouve, ce n'est décidément pas facile de trouver le ton juste.

Elle essuie la table avec un chiffon qu'elle rince plusieurs fois à l'eau courante, car le lait, ça sent quand on ne le nettoie pas tout de suite. Et soudain elle se fige.

— Tu aurais préféré que je ne vienne pas? dit-elle le dos tourné, comme si elle venait seulement d'envisager cette possibilité.

C'est une bonne question. Je mets du temps à lui répondre. Je m'assieds sur la huche et j'essaie de réfléchir.

— Tu préférerais sans doute qu'on te laisse tranquille? C'est pour ça que tu as déménagé, n'est-ce pas, c'est pour ça que tu es venu vivre ici; parce que tu veux qu'on te laisse tranquille. Et voilà que je débarque dans ta cour dès l'aurore et que je te dérange. Et c'est bien la dernière chose que tu aurais souhaitée.

Elle a toujours le dos tourné. Elle a lâché le chiffon, elle s'agrippe des deux mains au rebord de l'évier et elle ne se retourne pas.

— J'ai changé de vie, dis-je. C'est ça qui est important. J'ai vendu les parts qui me restaient dans la firme et je me suis installé ici. Sinon j'étais foutu. Je ne pouvais pas continuer comme avant.

— Je comprends. Je comprends tout à fait. Mais pourquoi ne nous as-tu rien dit?

— Je ne sais pas.

C'est vrai.

— Tu aurais préféré que je ne vienne pas ? demande-
t-elle avec insistance.

— Je ne sais pas.

Et c'est encore vrai. Je ne sais pas ce que je dois penser
de sa venue ; ça ne faisait pas partie de mon projet. Mais
soudain je me ravise : elle va s'en aller et ne plus jamais revenir. La pensée me remplit d'une telle angoisse que je
m'écrie :

— Non, ce n'est pas vrai. Ne t'en va pas.

— Je n'ai pas l'intention de m'en aller.

Elle vient seulement de se retourner vers moi :

— Pas tout de suite en tout cas. Mais j'aimerais te suggérer quelque chose.

— Quoi donc ?

— Fais installer le téléphone.

— Je vais y réfléchir. Promis.

Elle reste encore plusieurs heures. Quand elle remonte
dans sa voiture, la nuit commence à tomber. Entre-temps,
de sa propre initiative, elle est allée se promener avec Lyra,
me permettant de me reposer une demi-heure sur le lit.
Ma maison est différente désormais, et la cour aussi. Elle
met le contact, mais laisse la portière ouverte.

— Maintenant je sais où tu habites, dit-elle.

— Tant mieux, dis-je. Ça me fait plaisir.

Et elle me fait signe de la main et la portière claque et
la voiture démarre. Je remonte jusqu'à la maison, j'éteins
la lumière extérieure et je retourne dans la cuisine. Lyra
trotte derrière moi, mais elle a beau être là, je ne peux
m'empêcher de trouver la pièce un peu vide. Je tourne
mon regard vers la cour, mais je ne vois que mon propre
reflet dans la vitre.

16

Une fois le bois parti, Franz descendait souvent nous voir. Il prenait des vacances, disait-il en rigolant. Il s'asseyait sur la pierre plate devant la porte avec une cigarette et une tasse de café, il portait un short et il avait l'air bizarre avec ses jambes toutes blanches. Le ciel était imperturbablement bleu ; en un temps record, sa couleur était passée d'un bleu clair à un bleu qu'on aurait pu qualifier d'impitoyable, et pour ma part je n'aurais pas détesté qu'il pleuve un peu.

Mon père non plus, sans doute. Il ne tenait pas en place. Souvent il prenait un livre, descendait jusqu'à la rivière et s'installait pour lire, soit dans la barque amarrée, en se calant contre le dernier banc de nage avec un coussin sous la nuque, soit sur les rochers où se dressait le pin à la croix. On aurait dit qu'il ne pensait jamais aux événements qui s'y étaient déroulés un jour de l'hiver 1944. Ou alors il y pensait, mais en arborant l'air indifférent de celui qui n'a aucun souci et se contente de profiter du beau temps. Mais il ne trompait personne. En réalité, c'était le bois qui le préoccupait, je le comprenais à sa manière de lever la tête pour promener son regard sur la rivière. J'étais blessé de le voir accorder autant d'importance à cette histoire de bois. Il y avait un pacte entre nous, j'étais là à ses côtés, et j'éprouvais un sentiment d'urgence devant cet été qui commençait à décliner et allait bientôt finir.

Le lendemain de notre arrivée, mon père avait suggéré une promenade à cheval pendant trois jours ; est-ce que ça me paraissait une bonne idée ? Quand je lui ai demandé « avec quels chevaux ? », il a répondu « ceux de Barkald », et j'ai dit avec enthousiasme que ça me paraissait une *très* bonne idée. Bien sûr, je l'avais devancé en ce qui concerne les chevaux, mais on avait à peine eu le temps de les monter, Jon et moi, et ça ne s'était pas très bien terminé ; pas pour moi en tout cas, et pas pour Jon non plus si on considère ce qui était arrivé juste avant et ce qui allait se passer par la suite. Et de toute façon, mon père n'avait plus reparlé de sa proposition. J'ai donc été assez surpris de me réveiller un jour et d'entendre des hennissements et des bruits de sabots juste devant la fenêtre qui donnait sur l'arrière du chalet, là où je n'avais pas osé couper les orties avec la faux courte. Tandis que mon père les avait arrachées à mains nues en disant que c'était à moi de décider si j'avais mal.
Je me suis penché hors de la couchette. M'appuyant sur le rebord de la fenêtre, le visage contre la vitre, j'ai aperçu deux chevaux en train de paître. L'un était bai, l'autre était noir, et j'ai tout de suite vu que c'étaient ceux que nous avions montés, Jon et moi. Était-ce bon ou mauvais signe ? Si quelqu'un m'avait posé la question, je n'aurais pas su y répondre.
J'ai sauté de ma couchette comme d'habitude, et cette fois-ci ma réception a été parfaite ; je ne me suis blessé ni le pied ni aucune autre partie du corps. Mon genou était guéri, ça n'avait pris que quelques jours, et j'ai passé tout le buste hors de la fenêtre en prenant garde de ne pas bascu-

ler. J'ai vu mon père arriver de la remise, une selle à la main. Il l'a posée sur un tréteau en laissant pendre les étriers.

— Tu les as *volés*, ces chevaux? ai-je crié.

Il s'est figé un instant, puis il s'est retourné. Il m'a vu suspendu à la fenêtre, et il a compris que je plaisantais.

— Viens ici immédiatement! m'a-t-il ordonné en rigolant.

— À vos ordres, chef!

J'ai ramassé mes vêtements posés sur la chaise et j'ai couru dans la pièce commune tout en commençant à m'habiller. Je sautais à cloche-pied en enfilant mon pantalon, je me suis à peine arrêté pour chausser mes tennis, et je suis arrivé sur le pas de la porte à moitié aveuglé par les pans de ma chemise qui voltigeaient au-dessus de mon crâne. Quand j'ai réussi à passer la tête dans l'encolure, j'ai vu mon père me fixer des yeux devant la remise. Le spectacle l'a bien fait rire, et il tenait une deuxième selle à la main.

— Elle est pour toi. Si ça t'intéresse toujours. L'idée avait l'air de te plaire, non?

— Bien sûr que ça m'intéresse. On part tout de suite? On va où?

— On verra ça plus tard. D'abord on va prendre le petit déjeuner. Puis il faudra préparer les chevaux. Ça demandera un peu de temps, on va faire les choses correctement, il ne s'agit pas de partir comme ça. On peut les garder pendant trois jours, à la minute près. Tu connais Barkald, il ne plaisante pas avec ce qui lui appartient. J'étais même tout étonné qu'il dise oui.

Moi, ça ne m'étonnait pas outre mesure. Barkald aimait bien mon père, il l'avait toujours bien aimé, et en écoutant Franz j'avais compris qu'ils se faisaient confiance et que leurs relations étaient plus étroites que je ne l'avais imaginé. Peut-être mon père n'avait-il même pas payé le chalet que nous occupions, peut-être Barkald lui en avait-il fait cadeau en souvenir de leur amitié pendant la guerre et des aventures qu'ils avaient vécues ensemble. Et alors tout était différent, n'est-ce pas : ce n'était pas comme lorsqu'on était arrivés l'année précédente, quand je ne connaissais pas encore la forêt et la rivière, quand la place devant la boutique était nouvelle pour moi, quand je découvrais le pont et n'avais jamais vu des grumes jaunes et luisantes flotter sur l'eau, quand je me méfiais de Barkald parce qu'il possédait des terres et avait de l'argent, contrairement à nous. À l'époque j'avais cru que mon père pensait comme moi, mais apparemment ce n'était pas le cas. Et quand il parlait comme il venait de le faire, c'était sans doute par coquetterie, ou pour jeter un voile sur le pourquoi et le comment des choses.

C'était assez angoissant, mais je ne voulais pas m'arrêter là-dessus, car l'été tirait à sa fin, en tout cas pour nous. La lourdeur que j'avais ressentie le jour du flottage, quand j'avais failli m'esquinter le genou, s'était envolée de mon corps et s'était mystérieusement dissipée. J'étais aussi agité que mon père ; avant de retourner à Oslo il me fallait extraire tout le suc des journées qui nous restaient, il me fallait tirer la quintessence de ce paysage près de la rivière.

Et c'était exactement ce que nous allions faire : capter l'ultime chaleur des sentiers de la forêt et des rochers brûlés par le soleil, voir les reflets éblouissants des troncs de bouleau filer entre les arbres comme les flèches des Indiens Kiowa, plonger parmi les fougères vert sombre dont les éventails bordaient l'étroit chemin de terre comme les rameaux de palmiers dans la Bible que nous étudiions à l'école du dimanche. Nous avons quitté le chalet et nous sommes arrivés sur la route ; nos chevaux étaient au pas et nous nous dirigions vers la vieille étable où j'avais passé la nuit peu de temps avant et senti la chaleur m'envahir le corps. Et maintenant c'était la chaleur des flancs du cheval que je sentais contre mes cuisses, et celle du vent du sud qui frappait mon visage. Nous avancions contre le vent à l'est de notre rivière, nous avions pris notre petit déjeuner et préparé nos sacoches et plié les couvertures pour la nuit ; nos cirés étaient accrochés avec les couvertures, et nous avions pansé les chevaux et peigné leur crinière. À l'ouest, des bancs de nuages flottaient au-dessus de la colline et masquaient leur sommet, mais nous n'aurions pas de pluie, avait dit mon père en secouant la tête avant de sauter en selle.

Là-bas devant l'étable j'apercevais la vachère ; elle avait sorti ses seaux et ses bassines pour les laver aux cristaux de soude, et le soleil faisait briller ses ustensiles quand elle les plongeait dans le ruisseau pour les remplir d'une eau limpide. Nous lui avons fait signe de la main et elle a répondu à notre salut, et en levant le bras elle a fait gicler un étincelant filet d'eau qui a dessiné un arc dans le ciel avant de retomber. Nos chevaux hennissaient et encensaient de la tête, et quand elle a vu qui nous étions, elle a éclaté de rire. Mais son rire était sans méchanceté, et je n'ai pas rougi.

Elle avait une jolie voix ; peut-être bien qu'elle était semblable à une flûte d'argent après tout, et mon père s'est retourné sur sa selle pour me regarder. Je le suivais, tout occupé à trouver la bonne position sur la mienne. Laisse aller tes hanches, avait dit mon père, elles doivent faire partie du cheval ; tu as un roulement à billes là-dedans, sers-t'en. Et j'ai senti que c'était vrai, que mon corps était fait pour monter à cheval et y trouver du plaisir.

— Celle-là aussi, tu la connais ? a demandé mon père.
— Bien sûr qu'on se connaît ; je suis allé la voir souvent

Ce n'était pas vrai du tout, mais j'ignorais à qui il pensait en disant « celle-là *aussi* » ; peut-être voulait-il faire allusion à la mère de Jon, et le ton de sa voix m'a fait supposer qu'il devait encore être fâché contre moi après ce qui s'était passé le jour où on avait empilé les grumes.

— Et si tu cherchais quelqu'un de ton âge ?

— Mais il n'y a personne ici.

Ça au moins, c'était vrai. Pendant deux étés je n'avais pas vu une seule fille de mon âge à plusieurs kilomètres à la ronde, ce qui me convenait tout à fait. Je n'avais pas besoin de quelqu'un de mon âge. Pour quoi faire ? Tout était très bien ainsi. Je me suis aperçu que ma voix était dure et hostile, et il m'a regardé droit dans les yeux. Puis il a souri :

— Tu as tout à fait raison.

Il regardait de nouveau vers l'avant, et j'ai entendu qu'il rigolait.

— Qu'est-ce qui te fait rigoler ? ai-je crié.

Et j'ai senti ma colère monter, mais il ne s'est pas retourné.

— Je ris de moi-même, s'est-il contenté de dire.

C'est en tout cas ce que j'ai cru entendre. Il était assez fort pour ça : rire de lui-même. Moi, ce n'était pas mon cas, alors que lui le faisait souvent. Mais je n'ai pas compris pourquoi il le faisait à ce moment précis. Puis il a donné un léger coup de talon aux flancs de son cheval, qui s'est mis au trot.

— On y va, a-t-il crié.

Mon cheval a imité le sien, et j'ai eu beaucoup de mal à adapter le roulement à billes de mes hanches aux mouvements de l'animal. Et l'étable a disparu parmi les arbres derrière nous et nous avons abandonné la vachère avec ses genoux hâlés qui dépassaient sous sa jupe et ses bras dorés et solides qu'elle levait pour nous saluer.

Nous avons suivi la route jusqu'à l'endroit où elle se rétrécissait pour n'être plus qu'un sentier, mais nous n'avons pas coupé à travers les prés en direction de la rivière et de son petit embarcadère caché parmi les joncs, là où j'avais marché une nuit sous une étrange lumière et découvert mon père en train d'embrasser la mère de Jon comme si c'était une question de vie ou de mort. Nous avons pris un autre sentier qui allait bientôt bifurquer vers l'est et se transformer en une étroite piste d'élans s'enfonçant entre de grands et vieux bouleaux dont on ne voyait que les cimes bruissantes quand on penchait la tête en arrière pour tenter d'apercevoir le ciel. Et c'est ce que je faisais, au point de risquer un torticolis. Nous avons traversé un ruisseau profond dont l'eau paraissait glaciale. Et elle l'était ; je m'en suis rendu compte quand elle a éclaboussé les jambes de mon cheval et mouillé mon pantalon. J'ai eu les cuisses trempées et quelques gouttes m'ont aspergé le visage, car nous avons traversé au trot. Mais les chevaux étaient contents et semblaient apprécier le changement de terrain à l'approche de la Montagne aux Pins. Dans les côtes escarpées, l'épaisse forêt de sapin était encore indemne de toute coupe, et nous avons suivi la piste jusqu'au sommet de la colline. Au point culminant nous nous sommes arrêtés un instant pour regarder en arrière, et le ruban argenté de la rivière serpentait entre les champs au-delà des arbres tandis que les bancs de nuages continuaient d'envelopper la colline d'en face. C'était beau, bien plus beau que le fjord près de chez nous. Le fjord, je n'en avais rien à faire, voilà le problème. Et je contemplais cette vallée pour la dernière fois, je le savais. Mais je n'étais pas triste, comme on aurait pu le penser ; seulement énervé et un peu en colère. Je voulais continuer. J'ai trouvé que mon père s'attardait plus que nécessaire à regarder vers l'ouest, et j'ai dirigé mon cheval pour tourner le dos à la vallée.

— On ne va quand même pas traîner ici, ai-je dit.

Il m'a regardé en esquissant un sourire, puis il a fait demi-tour et s'est dirigé droit vers l'est, vers l'endroit où je savais que se trouvait la Suède. Quand nous aurions franchi la frontière, tout serait exactement pareil qu'ici, mais ça paraîtrait quand même différent ; j'en étais sûr, car je n'avais jamais été en Suède. Si c'était bien là que nous allions. Mon père ne m'en avait rien dit ; je ne faisais que le supposer.

Mais je ne m'étais pas trompé. Sur l'autre versant nous sommes passés par une gorge étroite où on ne voyait rien. Les chevaux avançaient avec précaution car des pierres se détachaient du sol et la pente était raide. Je me suis penché en arrière, les jambes tendues, en prenant appui sur les étriers de toutes mes forces pour éviter de passer par-dessus l'encolure du cheval et d'atterrir dans l'éboulis de roches. L'écho du bruit des sabots résonnait entre les parois rocheuses, et on ne pouvait guère dire que nous avancions avec discrétion. Mais ce n'était pas grave, pensais-je, car il n'y avait personne à notre poursuite, ni patrouille allemande avec mitraillettes et jumelles, ni gardes-frontière avec chiens policiers, ni US Marshall maigre et tenace nous suivant jour après jour sur un cheval tout aussi maigre, toujours à la même distance, ni trop près ni trop loin, attendant patiemment le moment où nous baisserions la garde, les nerfs usés comme de vieux chiffons. Et alors il frapperait. Sans hésitation. Sans pitié.

Mine de rien, je me suis retourné pour vérifier si malgré tout il n'était pas là sur son maigre canasson gris. J'ai tendu l'oreille, mais le bruit que faisaient nos propres chevaux m'a empêché d'entendre quoi que ce soit.

En bas nous avons débouché sur une plaine. Dans notre dos le soleil projetait l'ombre de la colline, et nos chevaux soulagés se sont mis au petit trot. Mon père a montré du doigt un tertre où se dressait un pin solitaire et tordu, telle une sculpture.

— Tu vois ce pin là-bas?

Comme il n'y avait pas grand-chose d'autre à voir, j'ai crié « bien sûr ».

— À partir de là c'est la Suède!

Et il continuait de montrer l'arbre du doigt, alors qu'on ne voyait que lui.

— Bon; alors c'est au premier arrivé! ai-je crié.

Et j'ai envoyé mes talons dans les flancs de mon cheval. Il a bondi en avant et sa brusque accélération m'a fait lâcher les rênes et voler par-dessus sa croupe pour atterrir lourdement sur le sol.

— Superbe! Tu nous refais ça? Da capo! ai-je entendu mon père crier dans mon dos.

Riant aux éclats, il s'est mis au galop et s'est lancé à la poursuite du cheval emballé. Au bout d'une centaine de mètres il l'a rattrapé. En se penchant en avant il a réussi à s'emparer des rênes, puis il a décrit un large demi-cercle avant de revenir au pas comme s'il voulait montrer au monde entier que lui savait s'y prendre. Mais le monde entier n'était pas là, il n'y avait que moi, gisant comme un sac de patates dans l'herbe haute. Je l'ai vu s'approcher avec les deux chevaux; sur le moment je n'ai pas ressenti de douleurs, mais je n'ai pas bougé. Il a mis pied à terre, puis il s'est agenouillé près de moi.

— Désolé d'avoir ri, mais c'était trop comique; on aurait dit un numéro de cirque. Je sais bien que pour toi, ça ne devait pas être drôle. C'était idiot de ma part. Tu souffres beaucoup?

— Pas vraiment.

— Seulement un peu dans l'âme ?

— Un peu, je crois.

— Laisse la douleur couler au fond. N'y touche pas. Elle ne te sert à rien.

J'ai pris la main qu'il me tendait, et il a serré la mienne si fort que j'ai presque eu mal. Et au lieu de me relever, il m'a enlacé et attiré contre sa poitrine. Je n'ai pas su quoi dire, tellement j'ai été surpris. Nous étions de bons amis ; nous l'avions été en tout cas, et nous le redeviendrions certainement. C'était l'homme que j'admirais le plus au monde, et il y avait toujours un pacte entre nous ; j'en étais persuadé. Mais nous n'avions pas l'habitude de nous serrer dans nos bras. Il nous arrivait de nous battre pour rire, de nous empoigner et de faire les imbéciles en nous roulant par terre dans les prés de l'alpage, où il y avait assez de place pour ce genre d'enfantillages. Mais aujourd'hui ce n'était pas une bagarre. Bien au contraire. J'avais beau chercher dans mes souvenirs, jamais il n'avait fait une chose pareille. Tout en me disant que ce n'était pas bien, je me suis laissé étreindre sans savoir quoi faire de mes mains ; je n'allais tout de même pas le repousser, et je ne pouvais pas non plus lui rendre son étreinte, si bien que je suis resté les bras ballants. Mais je n'ai pas eu besoin de réfléchir longtemps, car il m'a lâché et il m'a de nouveau tendu la main pour m'aider à me remettre debout. Il souriait, mais je me suis demandé si son sourire s'adressait à moi, et j'ai été incapable de dire un mot. Il s'est contenté de me tendre les rênes de mon cheval et d'épousseter délicatement ma chemise. Il arborait de nouveau sa mine habituelle.

— On a intérêt à se dépêcher pour atteindre la Suède avant qu'elle ne sombre dans la mer sous nos yeux. Parce que ensuite il n'y a que le golfe de Botnie, puis la Finlande. Et la Finlande, on n'en a rien à faire.

Je n'ai pas compris un mot de ce qu'il racontait, et quand il a mis le pied à l'étrier, je me suis contenté de l'imiter. J'avais si mal que j'ai renoncé à faire montre d'élégance, et nous nous sommes dirigés vers le pin tordu qui ressemblait à une sculpture et marquait la frontière avec la Suède. Et ma pensée s'est vérifiée : dès que nous l'avions dépassée, tout m'a semblé différent, alors que rien n'avait changé.

Cette nuit-là nous avons dormi sous une saillie rocheuse où un cercle de pierres délimitait un emplacement pour faire du feu. Par terre, des brindilles de sapin formaient deux couchages, mais leurs aiguilles avaient fané et étaient tombées depuis longtemps. Avec la serpe dont je m'étais servi avec tant d'ardeur quelques semaines plus tôt, nous sommes allés couper des branchages. Nous les avons étalés pour nous préparer deux lits, et leur parfum était fort et agréable quand nous y collions nos visages. Nous sommes allés chercher nos couvertures, nous avons allumé un feu dans le cercle de pierres et nous nous sommes assis pour manger. Avec nos cordes mises bout à bout et tendues entre quatre sapins, nous avions aménagé un enclos pour les chevaux. Assis près du feu, nous les entendions marcher sur le sol élastique et il nous arrivait de percevoir un claquement quand leurs sabots heurtaient une pierre. Ils se soufflaient mutuellement dans le cou en émettant des petits bruits doux, mais nous les distinguions à peine, car nous étions en août maintenant et la nuit tombait plus tôt. Les flammes se reflétaient sur le rocher au-dessus de ma tête, et elles ont continué à colorer mes pensées jusque dans mon sommeil. Elles donnaient de la profondeur à mes rêves, et quand je me suis réveillé je ne savais ni où j'étais ni ce que je faisais là. Mais il restait encore des braises dans le feu, et la clarté du jour naissant était suffisante pour me permettre de me lever, de rejoindre les chevaux et de retrouver mes esprits. Tout me revenait comme une longue marée, tandis que les racines et les cailloux me râpaient la plante des pieds. Et j'ai parlé doucement aux chevaux par-dessus la corde. Je leur disais des choses douces que j'oubliais à l'instant même, et je caressais leur puissante encolure. Et leur odeur m'est restée sur les mains, et un grand calme a envahi ma poitrine. Je me suis caché derrière un rocher pour faire ce que je m'étais levé pour faire. En remontant, ma somnolence m'a fait trébucher plusieurs fois, et je me suis vite glissé sous ma couverture pour me rendormir aussitôt.

Ces jours-là devaient être les derniers. Maintenant je suis assis dans la cuisine de la vieille maison que j'ai l'intention de transformer en un logis agréable pour les années qui me restent. Ma fille vient de repartir après une visite inattendue ; sa voix et ses cigarettes et les phares jaunes de sa voiture sont déjà loin, je regarde en arrière et je m'aperçois que chaque mouvement effectué dans ce paysage d'autrefois a pris la couleur de ce qui est arrivé par la suite, au point d'en être inséparable. Certains disent que le passé est un pays étranger, et qu'on y vit d'une autre manière ; j'ai sans doute partagé ce sentiment pendant une bonne partie de ma vie, car je ne pouvais pas faire autrement. Mais maintenant ce n'est plus le cas. En me concentrant, je peux m'introduire dans la cinémathèque de la mémoire et retrouver le film que je cherche, et il me suffit de me couler dans ce film pour revivre dans mon corps notre chevauchée à travers la forêt, pour m'élever de nouveau au-dessus de la rivière jusqu'au sommet de la colline et descendre sur l'autre versant, pour franchir la frontière de la Suède et pénétrer dans un vrai pays étranger. Étranger pour moi en tout cas. Et quand je me penche sur le passé, je suis de nouveau près du feu, exactement comme cette nuit-là, quand je me suis réveillé une seconde fois et que j'ai vu mon père regarder la saillie rocheuse au-dessus de lui, les yeux grands ouverts. Il était allongé sur le dos sans bouger ; les braises éclairaient d'une lueur rouge son front et ses joues mangées par la barbe, et malgré mes efforts pour rester éveillé je n'ai jamais su s'il avait fini par s'endormir avant le lever du jour. De toute manière il était debout bien avant moi ; il avait déjà pansé et abreuvé les chevaux et il avait hâte de repartir. Ses mouvements traduisaient son impatience, mais sa voix était toujours aussi calme ; c'est du moins ce qu'il m'a semblé. Et avant même que j'aie pu chasser mes rêves et affronter des pensées difficiles, nous avions refait nos paquetages et sellé les chevaux.

J'ai entendu la rivière avant de l'apercevoir. Puis, au détour d'une butte, elle m'est apparue, presque blanche parmi les arbres, et l'air est devenu différent tout à coup et plus facile à respirer. Je l'ai immédiatement compris : c'était notre rivière, mais plus en aval et à l'intérieur de la Suède. Bien qu'on ne puisse reconnaître l'eau à la manière dont elle coule, j'ai quand même vu que c'était elle.

Arrivés sur les berges, nous avons progressé au pas vers le sud. Mon père scrutait la rivière en amont et en aval et jetait de temps en temps un œil sur l'autre rive. D'abord nous n'avons vu qu'une grume isolée, prise dans les joncs, puis nous en avons découvert d'autres, coincées sur un banc de sable un peu plus bas. Avec sa hache, mon père a coupé deux jeunes pins pour en faire des perches solides. Nous avons pénétré dans l'eau sans enlever nos chaussures, moi dans mes tennis et mon père dans ses grosses bottes à lacets, et nous avons réussi à dégager les grumes en nous servant de nos perches comme de tourne-billes. Mais je voyais que mon père était inquiet, car le débit de l'eau n'était pas fameux, surtout pour du flottage. Il a voulu descendre plus en aval, et nous nous sommes remis en selle. Nous tenions nos longues perches verticalement, un peu comme Ivanhoé et son écuyer devaient tenir leurs lances quand ils se rendaient à un tournoi ou à une bataille décisive contre les perfides Normands. En chevauchant à travers les taillis j'ai bien tenté de brider mon imagination, mais ce n'était pas facile, car l'ennemi pouvait surgir à n'importe quel moment. Nous sommes arrivés à un méandre débouchant sur un rapide. Nues et sèches, deux pierres émergeaient de l'eau peu profonde. Une grume y était restée coincée, d'autres étaient venues s'y amasser, et il y avait maintenant un gros enchevêtrement qui ne bougeait plus. Le spectacle n'a pas été au goût de mon père, qui s'est affaissé sur sa selle. Ça me chagrinait et m'inquiétait de le voir ainsi. J'ai sauté de cheval et j'ai couru jusqu'à la berge pour regarder les grumes agglutinées. Je courais vers le haut, je courais vers le bas sans cesser de fixer la rivière, je trépignais et ne tenais pas en place et j'examinais l'enchevêtrement de bois sous tous les angles. J'ai fini par appeler mon père :

— Si on entoure cette grume-là d'une corde, il suffit de tirer légèrement pour l'éloigner des pierres. Du coup, tout va se dégager, et le bois va sûrement repartir

Et j'ai montré du doigt le cœur du problème.

— Ça ne va pas être facile, a-t-il répondu d'une voix atone ; et on n'arrivera pas à faire bouger cette grume d'un millimètre.

— Nous, non. Mais les chevaux, oui.

— D'accord.

J'ai éprouvé un immense soulagement. J'ai couru jusqu'à mon cheval et j'ai défait la corde attachée à la selle. Puis j'ai pris la corde de mon père et je l'ai fixée à la mienne en faisant un nœud coulant à l'un des bouts. J'ai élargi le nœud pour pouvoir passer la tête et les bras dedans et je l'ai bien serré autour de ma poitrine.

— Attrape l'autre bout, ai-je crié à mon père en évitant de me retourner, car je ne tenais pas à voir comment il encaissait mes ordres.

J'ai remonté la berge jusqu'à un endroit propice, et je me suis jeté à l'eau. Dans un premier temps j'ai presque rampé, puis soudain je n'ai plus eu pied et je me suis lancé à la nage. Le courant était faible, mais il m'entraînait quand même, et bientôt je me suis retrouvé au milieu de la rivière, où ça coulait plus fort. Je me suis laissé porter jusqu'à un endroit où j'ai pu m'accrocher à une des grumes. Je me suis assuré qu'elle ne bougeait pas, et je me suis hissé dessus. Debout dans mes tennis, j'ai fini par trouver l'équilibre, et j'ai commencé à sauter d'une grume à l'autre en agitant ma corde. Je courais dans tous les sens sur l'enchevêtrement de bois en faisant même quelques détours inutiles, rien que pour sentir le rythme dans mes jambes. Parfois les grumes se retournaient ou changeaient de position, mais alors j'étais déjà loin et j'avais gardé mon équilibre. Et j'ai entendu la voix de mon père sur la berge :

— Qu'est-ce que tu fabriques ?

— Je m'envole !

— Quand est-ce que tu as appris ça ?

— Quand tu avais le dos tourné.

Et je rigolais en avançant vers la grume coincée. Mais quand je l'ai atteinte, j'ai vu que le bout où je devais fixer le nœud coulant était immergé.

— Il faut que je plonge ! ai-je crié.

Et avant même que mon père ait pu réagir, je me suis de nouveau jeté à l'eau. Je me suis laissé couler jusqu'au moment de sentir le fond sous mes pieds. Le courant me poussait dans le dos et me soulevait les bras, et quand j'ai ouvert les yeux j'ai aperçu l'extrémité de la grume juste devant moi. Je suis parvenu à passer le nœud par-dessus ma tête et àle glisser à l'endroit voulu. Tout avait si bien marché que j'étais presque tenté de rester encore un peu sous l'eau en retenant mon souffle, mes mains autour de la grume. J'avais un sentiment d'apesanteur, mais j'ai fini par lâcher la grume et remonter à la surface. Mon père a tiré sur la corde, et il ne me restait plus qu'à me haler jusqu'à terre. Dès que j'ai eu pied je me suis redressé, tout dégoulinant.

— Pas mal ! s'est écrié mon père.

Et il a souri. Puis il a fixé la corde au harnais de son cheval. Prenant les rênes, il a crié « hue ! ». Et le cheval a tiré de toutes ses forces, mais il ne s'est rien passé. « Hue ! » a de nouveau crié mon père, et quand le cheval s'est remis à bouger, nous avons entendu un craquement. Quelque chose avait dû se casser, car tout l'enchevêtrement a basculé en avant ; les grumes ont dégringolé les unes après les autres, et le courant les a emportées jusqu'en bas du rapide. Mon père avait l'air presque heureux, et j'ai compris à son regard que je devais avoir le même air que lui.

III

17

C'était comme si un rideau était tombé sur tout ce que
j'avais connu jusque-là. Comme si une nouvelle vie commençait. Les couleurs étaient différentes, les odeurs étaient
différentes, le sentiment que m'inspiraient les choses était
différent. Ce n'était pas seulement la différence entre le
froid et le chaud, entre la lumière et l'obscurité, entre le
mauve et le gris ; c'était une différence dans ma façon
d'avoir peur et d'être heureux.

Car j'étais heureux parfois. Même pendant les premières
semaines qui avaient suivi mon départ du chalet d'alpage.
J'étais heureux et plein d'espoir quand je prenais ma bicyclette pour descendre vers la gare de Ljan, bifurquer sur la
route de Moss et pédaler pendant sept kilomètres pour
gagner le centre d'Oslo. Mais j'étais inquiet aussi ; je me
mettais parfois à rire sans raison et j'avais du mal à me
concentrer. Au bord de la route et près du fjord, tout
m'était familier, mais rien n'était comme avant. Ni la presqu'île de Nesodden, ni le Bunnefjord avec la plage d'Ingierstrand et la villa de Roald Amundsen, ni l'île d'Ulvøya
avec son joli pont au-dessus de l'étroit bras de mer, ni l'île
de Malmøya plus loin, ni le silo à blé du quai de Vippetan-
gen, ni les murs gris de la forteresse qui surplombaient les

quais d'en face, là où accostaient les transatlantiques. Ni le ciel de cette fin de mois d'août au-dessus de la ville.

Je me vois rouler jusqu'à la gare de l'Est sous la lumière presque blanche du soleil : mon short gris et ma chemise ouverte qui flotte derrière moi quand je file à travers le quartier de Bekkelaget ; les voies de chemin de fer et le fjord à ma gauche et la côte qui monte jusqu'à Ekeberg à ma droite ; le cri des mouettes, l'odeur des traverses saturées de créosote et le parfum âcre de l'eau de mer dans l'air vibrant. L'été avait beau être fini, il faisait encore chaud ; c'était presque la canicule, et il m'arrivait de pédaler à toute vitesse sous la chaleur brûlante, la poitrine inondée de sueur. Mais parfois je planais sous le soleil sans même transpirer, et de temps en temps je me mettais à chanter.

La bicyclette, c'était mon père qui me l'avait offerte l'année précédente. C'était la sienne ; à l'époque on n'en trouvait plus de neuves nulle part. Il s'en était servi pendant des années, mais comme il n'était presque jamais à la maison, il l'avait depuis longtemps remisée à la cave. Et il n'en avait plus besoin ; une nouvelle vie s'ouvrait devant lui, disait-il ; il avait de nouveaux projets, et sa bicyclette n'en faisait pas partie. Ce n'était peut-être pas tout à fait vrai, mais j'étais content de l'avoir et j'en prenais grand soin. Elle m'apportait une liberté et un rayon d'action dont je me serais difficilement passé. Je l'avais démontée et remontée plusieurs fois en suivant les instructions de mon père. J'en avais nettoyé et frotté et huilé chaque rouage et engrenage, si bien que la chaîne tournait sans le moindre bruit entre l'axe du pédalier, le moyeu de la roue arrière et le carter impeccablement astiqué. Et cela dès le moment où je sautais en selle et jusqu'à mon freinage tout aussi silencieux devant la gare de l'Est, où je rangeais ma bicyclette au râtelier à vélos côté mer avant de franchir encore une fois les grandes portes.

Quittant la lumière intense du dehors, je pénétrais dans l'obscurité de la salle des pas perdus et je me dirigeais vers le hall d'arrivée pour étudier les horaires. Sous l'immense verrière crasseuse, je me mêlais à la foule qui déambulait devant l'entrée des quais pour examiner les panneaux d'affichage, mais je devais être le seul à tirer par la manche un contrôleur en uniforme et lui poser des questions sur les trains en provenance d'Elverum. Il me regardait longuement, il me connaissait, je l'avais déjà interrogé plusieurs fois. Et il se contentait de me montrer du doigt le panneau que je venais de consulter. Il n'y avait pas d'informations secrètes, pas de panneaux cachés.

À chaque fois j'étais trop en avance. Debout près d'une colonne, j'attendais dans l'étrange demi-jour du vaste hall. La lumière était toujours la même, si bien qu'elle ne semblait jamais appropriée : ni dans la journée, ni le soir, ni le matin, ni même la nuit. Et le hall résonnait de l'écho des pas et des voix, mais surtout de l'immense silence là-haut sous la verrière où les pigeons m'observaient en rangs serrés. Gris et blancs et bruns tachetés, ils nichaient entre les poutres en fer et y passaient leur vie entière.

Mais il n'est pas venu.

Pendant l'arrière-saison de 1948, combien de fois ai-je fait ce trajet pour aller attendre le train d'Elverum ? Je ne sais pas. Pourtant, quand je dévalais la côte pour prendre le long chemin qui me conduirait à mon poste de guet, j'étais toujours aussi excité, aussi plein d'espoir. Presque joyeux.

Mais il n'est pas venu.

Et la pluie que tout le monde attendait est enfin arrivée. Environ un jour sur deux je continuais à pédaler jusqu'à Oslo en espérant qu'il serait dans le train d'Elverum. Je portais un suroît et un ciré, dans mes habits jaunes je ressemblais à un pêcheur des îles Lofoten, j'avais des bottes en caoutchouc, et les roues de ma bicyclette faisaient gicler l'eau qui déferlait des pentes de la colline d'Ekeberg jusque sur les rails à ma droite. Et les rails disparaissaient dans un tunnel pour ressurgir plus loin sur ma gauche, et les villas et les immeubles étaient plus gris que jamais et ils s'effaçaient sous la pluie, sans yeux, sans oreilles, sans voix, et ne me racontaient plus rien. Et puis, un jour, j'ai arrêté. Je n'y suis pas allé, ni ce jour-là, ni le lendemain, ni le surlendemain. C'était comme si un rideau était tombé. Comme si une nouvelle vie commençait. Les couleurs étaient différentes, les odeurs étaient différentes, le sentiment que m'inspiraient les choses était différent. Ce n'était pas seulement la différence entre le froid et le chaud, entre la lumière et l'obscurité, entre le mauve et le gris ; c'était une différence dans ma façon d'avoir peur et d'être heureux.

Vers la fin de l'automne nous avons reçu une lettre. Elle était postée d'Elverum, et l'enveloppe portait le nom de ma mère et notre adresse. Mais la lettre s'adressait à nous trois, nommément : nous y étions même désignés par notre nom complet. Ça m'a paru étrange, d'autant que nous partagions tous le même nom de famille. C'était une courte lettre. Il nous remerciait pour tout ce que nous avions vécu ensemble, c'était avec bonheur qu'il y pensait, mais maintenant il avait une autre vie et c'était irrévocable : il ne reviendrait plus. Dans une banque de Karlstad, en Suède, se trouvait l'argent rapporté par le bois que nous avions coupé cet été et envoyé sur la rivière. Il joignait une procuration au nom de ma mère ; comme ça elle pourrait aller à Karlstad avec ses papiers d'identité et toucher l'argent. Portez-vous bien. C'était tout. Pas un mot pour moi en particulier. Je ne sais pas : il m'a semblé que j'aurais mérité quelque chose, pourtant.

— Du bois ?

C'est tout ce que ma mère a trouvé à dire. Elle avait déjà cette lourdeur dans le corps qu'elle allait garder toute sa vie. Ce n'était pas seulement le poids de ses bras et de ses hanches, ni la pesanteur de ses mouvements ; il y avait une lassitude dans sa voix et dans ses expressions ; même ses paupières étaient devenues lourdes, comme si elle allait s'endormir et ne comprenait rien à ce qui se passait. Et c'est vrai que je ne lui avais pas touché un mot de ce qui nous était arrivé cet été-là, à mon père et moi. Je n'avais rien dit. Sauf qu'il allait rentrer dès que possible, quand il aurait réglé les affaires qu'il devait régler.

Ma mère a emprunté de l'argent à son frère, celui qui n'avait pas été tué par la Gestapo en s'enfuyant d'un commissariat de la côte sud en 1943. On l'appelait l'oncle Amund. Celui qui était mort, c'était l'oncle Arne. Ils étaient jumeaux. Ils avaient toujours été inséparables, ils étaient allés à l'école ensemble, ils avaient fait du ski de fond ensemble, ils étaient allés à la chasse ensemble, et l'oncle Amund était désormais un chasseur solitaire. Il vivait dans l'appartement qu'il avait partagé avec l'oncle Arne, dans le quartier de Vålerenga, et il ne s'était jamais marié. Il ne devait pas avoir plus de trente-deux ou trente-trois ans à l'époque, mais son appartement sentait le vieux. C'était du moins l'impression que j'avais chaque fois que je lui rendais visite.

Avec l'argent elle a pris des billets pour Karlstad, dans le train de Stockholm. J'avais étudié le trajet : le train partait tôt le matin d'Oslo Est, longeait la Glomma jusqu'à Kongsvinger et bifurquait ensuite vers le sud. Après la frontière il se dirigeait vers Charlottenberg, passait par Arvika, au bord du Glafsfjord, et continuait dans la même direction jusqu'à

Karlstad, chef-lieu du Värmland situé au bord du lac Vänern, qui était si grand que la ville prenait des allures de port. Et nous avions un retour l'après-midi même. Ma mère voulait que je l'accompagne, tandis que ma sœur devait rester à la maison. Comme d'habitude, a dit ma sœur, et elle n'avait pas tort. Mais ce n'était pas mon problème.

Cette fois il n'était pas question de foncer à bicyclette sur la route de Moss pour rejoindre la gare de l'Est. Nous avons pris le train de banlieue à Ljan et nous avons longé le fjord, qui n'avait plus rien d'estival. Le ciel gris était si bas qu'il semblait toucher la crête des vagues, et l'eau fouettée par le vent s'élevait en dentelles blanches au milieu des îles. Debout sur la plate-forme j'ai vu un chapeau de femme s'envoler au-dessus des rails ; et les grands pins, si nombreux près de chez nous, s'agitaient et pliaient dangereusement sous les rafales. Mais ils n'allaient pas tomber. Plus jeune, assis près d'une fenêtre au premier étage, regardant avec angoisse le vent s'engouffrer entre les maisons et secouer les troncs roux et élancés des arbres, j'avais souvent eu peur qu'ils ne tombent. Et ils pliaient, mais ne tombaient jamais.

À la gare de l'Est je savais d'où partaient les trains et je connaissais les horaires de départ. J'ai guidé ma mère jusqu'au quai et jusqu'à notre wagon tout en saluant à droite et à gauche, car nous avons croisé plein des gens avec qui j'avais déjà bavardé : les porteurs et les contrôleurs et la dame du kiosque et deux hommes qui venaient là pour se soûler avec le contenu indéfinissable et dégoûtant d'une bouteille qu'ils se partageaient. Tous les jours on les chassait et tous les jours ils revenaient, invariablement.

Une fois dans le compartiment, je me suis installé dans le sens contraire à la marche, car ma mère ne supportait pas d'être assise dans cette position. Ça lui donnait mal au cœur, disait-elle ; beaucoup de gens étaient comme elle, mais moi ça ne me dérangeait pas. Le train roulait à vive allure le long de la Glomma ; nous sommes passés par Blaker et par Årnes, et les poteaux défilaient : pling et pling et pling et pling, et les roues claquaient contre les jointures des rails : tagada, tagada, tagada, tagada, et j'ai fini par m'endormir. Une lumière vacillante m'éclairait les paupières ; ce n'était pas le soleil, mais les lueurs grises du ciel au-dessus du fleuve, et j'ai rêvé que j'étais assis dans le car et que je me rendais au chalet d'alpage.

En me réveillant j'ai plissé les yeux pour regarder la Glomma, et j'ai de nouveau eu ce sentiment que j'éprouvais souvent : j'étais ami avec l'eau, avec l'eau vive ; j'étais attiré par ce vaste fleuve qui enflait et roulait dans le sens opposé au nôtre, car nous nous dirigions vers le nord, tandis qu'il coulait vers le sud, vers les grandes villes au bord de la mer. Et il était lourd et immense, comme tous les grands fleuves.

J'ai quitté la Glomma des yeux pour observer ma mère. En face de moi, son visage s'éclairait et replongeait dans le noir au rythme des poteaux et des pylônes, des ponts et des bosquets qui se succédaient le long de la voie ferrée. Elle avait les yeux fermés, et ses lourdes paupières reposaient sur ses joues rondes comme si le sommeil était le seul état naturel de son visage. Et je me suis dit : il a foutu le camp, et il me laisse avec elle.

Bien sûr, j'aimais ma mère, je ne vais pas dire le contraire. Mais l'avenir que je lisais sur le visage en face de moi n'était pas celui que j'avais imaginé. Le regarder trois minutes d'affilée me donnait immédiatement le sentiment que le monde me pesait sur les épaules et m'empêchait de respirer. Je ne tenais plus en place. Je me suis levé, j'ai ouvert la porte du compartiment et je suis sorti dans le couloir. De l'autre côté du wagon, les champs défilaient ; la moisson était terminée, et ils étaient déserts et jaunes sous le pâle soleil d'automne. Debout devant une fenêtre, un homme contemplait le paysage. Son dos me rappelait quelqu'un. Il fumait une cigarette et semblait perdu dans ses pensées. Quand je me suis mis à côté de lui, il s'est tourné vers moi, puis il m'a souri d'un air rêveur en me faisant un signe de tête amical. Il ne ressemblait pas du tout à mon père. Je suis allé jusqu'au bout du couloir, puis j'ai fait demi-tour près de la grosse bonbonne d'eau accrochée à la cloison. Je suis repassé devant l'homme à la cigarette en regardant fixement le sol et j'ai continué jusqu'à l'autre bout du wagon, où j'ai fini par trouver un compartiment vide. J'y suis entré, j'ai refermé la porte et je me suis assis près de la fenêtre, dans le sens de la marche. J'ai regardé le fleuve qui coulait maintenant vers moi et disparaissait dans mon dos, et j'ai dû pleurer un peu, la tête appuyée contre la vitre. Puis j'ai fermé les yeux, et j'ai dormi comme une souche jusqu'au moment où le contrôleur a ouvert la porte pour annoncer que nous venions d'arriver à Karlstad.

Nous étions debout sur le quai, épaule contre épaule. Sur la voie derrière nous, le train était à l'arrêt, mais il allait bientôt repartir pour Stockholm. Nous entendions le chuintement d'une soupape, nous entendions le sifflement du vent dans les câbles tendus entre les pylônes de la gare, et sur le quai un homme criait à sa femme « tu viens, enfin ? ». Mais sa femme est restée là, entourée de tous leurs bagages. Ma mère paraissait désorientée et elle avait le visage enflé. Elle n'était jamais allée à l'étranger. Moi si, mais c'était dans la forêt. Karlstad n'était pas comme Oslo. Les gens y parlaient différemment, on s'en est tout de suite rendu compte, et ce n'était pas seulement une question de mots; leur intonation aussi nous a paru étrange. Vue de la gare, la ville semblait bâtie sur un plan plus rationnel qu'Oslo, et elle était nettement moins délabrée. Mais nous ne savions pas quelle direction prendre. Comme nous n'avions pas prévu d'y passer la nuit et que nous n'avions pas le temps de faire des excursions, nous n'avions emporté qu'un petit sac. En fait nous devions juste nous rendre à la banque, puis aller manger quelque chose peut-être. Pour une fois, nous allions nous offrir un repas au restaurant ; on s'était dit qu'on en aurait les moyens, grâce à l'argent de mon père, mais je savais que ma mère avait préparé des casse-croûte qu'elle avait glissés dans le sac, au cas où.

Nous nous sommes dirigés vers le hall de la gare, nous avons parcouru le sol carrelé jusqu'à la sortie, et nous avons traversé la rue qui longeait la voie ferrée. Nous avons remonté Järnvägsgatan en direction du centre-ville. Regardant à droite et à gauche, nous cherchions l'enseigne de la banque où nous devions présenter notre procuration. Mais comme elle demeurait introuvable, nous nous tournions régulièrement l'un vers l'autre en demandant : « Tu la vois ? » Et chacun répondait « non » à tour de rôle.

J'ai porté le sac pendant tout le trajet, et nous avons continué jusqu'au bout de la rue. Elle s'arrêtait net devant la rivière Klara, qui prenait sa source dans les vastes forêts du Nord et se divisait pour former une presqu'île. C'était précisément dans cette presqu'île que nous nous trouvions, et les bras de la Klara séparaient la ville en trois avant de se jeter dans le Vänern.

— C'est joli ici, a dit ma mère.

Elle avait sans doute raison, mais il faisait froid, car un air glacial montait de la rivière. Après avoir dormi dans le train, j'avais affronté sans transition le vent d'automne ; je grelottais et avais hâte qu'on en ait terminé. Ainsi nous pourrions

enfin liquider les comptes et tirer un trait sous le résultat :
Voilà le crédit. Voilà le débit. Et voilà le solde.

Nous avons fait demi-tour et nous sommes revenus par une rue parallèle.

— Tu as froid ? a demandé ma mère. Il y a une écharpe dans le sac ; tu n'as qu'à la mettre. Tu ne risques pas d'avoir l'air ridicule : ce n'est pas un foulard de dame.

— Non, je n'ai pas froid.

Je me suis aperçu que je prenais un ton impatient, irrité. On me l'a souvent reproché par la suite ; des femmes surtout m'en ont fait la remarque, car c'était souvent avec elles que j'adoptais ce ton. Je le reconnais.

Un instant plus tard j'ai sorti l'écharpe du sac. C'était une écharpe en laine appartenant à mon père. Je l'ai mise autour du cou et je l'ai nouée avant de glisser les extrémités sous ma veste pour me protéger la poitrine. Je me suis senti nettement mieux.

— Il faut qu'on demande à quelqu'un, ai-je dit. On ne peut pas continuer à tourner en rond comme ça.

— On finira bien par trouver.

— Peut-être. Mais on va perdre un temps fou.

Je savais qu'elle craignait de ne pas se faire comprendre si elle s'adressait à quelqu'un, qu'elle serait intimidée et prendrait un air perdu. Comme une paysanne à la ville, m'avait-elle dit une fois. Et elle tenait absolument à éviter ça. Pour ma mère, les paysans étaient des gens arriérés.

— Moi, je vais demander à quelqu'un.

— Si tu veux. Mais on finira bien par trouver. Ça ne doit pas être très loin.

Cause toujours, ai-je pensé.

Et je me suis dirigé vers la première personne que j'ai vue pour lui demander où se trouvait Wärmlandsbanken. C'était un homme d'apparence tout à fait normale et certainement pas un clochard, car il était bien habillé et portait un pardessus presque neuf. J'étais certain d'avoir bien articulé et employé les mots qu'il fallait, mais il m'a regardé bouche bée comme si j'étais un Chinois avec un chapeau pointu et des yeux bridés. À moins qu'il ne m'ait pris pour un de ces cyclopes dont on parlait dans les livres, et qui n'avaient qu'un seul œil juste au-dessus du nez. J'ai senti ma colère monter dans ma poitrine comme une colonne de flammes, j'avais le visage en feu et la gorge qui me piquait.

— Vous êtes sourd?

— Comment?

On aurait dit un chien qui aboyait.

— Vous êtes sourd? Vous n'entendez pas quand les gens vous parlent? Vous avez un problème d'oreille? Vous pouvez nous dire où se trouve Wärmlandsbanken? Il faut absolument qu'on y aille. Vous comprenez?

Il ne comprenait pas. Il ne comprenait rien à ce que je disais. C'était ridicule. Il se contentait de secouer la tête en me regardant d'un air inquiet, comme si j'étais un évadé de l'asile qu'il ne fallait surtout pas brusquer en attendant l'arrivée des gardiens, qui ne manqueraient pas de venir récupérer cet énergumène avant qu'il n'agresse quelqu'un.

— Tu veux que je te foute une baffe? ai-je dit

Puisqu'il ne comprenait rien, je pouvais bien lui raconter tout ce qui me passait par la tête. D'ailleurs j'étais aussi grand que lui, et après m'être dépensé physiquement tout l'été, j'étais en parfaite forme. J'avais étiré mon corps dans tous les sens, je l'avais plié et déplié, j'avais soulevé toutes sortes d'objets, j'avais déplacé des pierres et des troncs d'arbres, j'avais remonté la rivière à la rame et passé une bonne partie de l'arrière-saison à pédaler entre Ljan et la gare de l'Est; je me sentais fort et invincible, et ce type n'avait rien d'un athlète. Mais peut-être a-t-il mieux compris ma dernière phrase, car ses yeux sont devenus ronds comme des billes et il avait l'air sur ses gardes. J'ai renouvelé mon offre :

— Si tu veux que je te foute une baffe, j'y vais tout de suite. Il suffit de me le demander, parce que moi, ça me démange.

— Non, a-t-il dit.

— Quoi ?

— Non. Je ne veux pas que tu me foutes une baffe. Si tu me frappes, j'appelle la police.

Il faisait un sort à chaque syllabe, comme un acteur. Ça m'a énervé.

— C'est ce qu'on va voir, ai-je dit.

Et j'ai senti mon poing se serrer machinalement. Mes articulations m'ont paru bizarrement chaudes et raides, et j'ignorais d'où me venaient les mots que je prononçais. Jamais je n'avais parlé comme ça à quiconque, pas même à des gens que je connaissais et encore moins à des inconnus. Et j'ai compris que plusieurs lignes partaient du petit bout de trottoir que j'occupais et se prolongeaient dans différentes directions pour former un diagramme soigneusement dessiné. Je me tenais dans un cercle au centre de ce diagramme, et aujourd'hui encore, cinquante ans plus tard, ces lignes m'apparaissent comme autant de flèches lumineuses quand je ferme les yeux. Ce jour-là à Karlstad, je ne les voyais peut-être pas aussi distinctement, mais je savais qu'elles existaient. Ça, j'en suis persuadé. C'étaient des chemins qui s'offraient à moi ; dès que je me serais engagé sur l'un d'entre eux, une grille retomberait avec fracas dans mon dos. Puis quelqu'un relèverait le pont-levis, ça déclencherait une réaction en chaîne, et je ne

pourrais plus revenir sur mes pas. Et une chose était sûre :
si je frappais ce type, j'aurais déjà fait un choix.

— Espèce de connard, ai-je dit.

Et j'ai compris que ma décision était prise : je le laisserais
tranquille. Mon poing droit se desserrait douloureuse-
ment, et j'ai deviné une légère déception sur le visage de
l'homme. Pour des raisons qui m'échappaient, ce type
aurait sans doute aimé pouvoir appeler la police. Et à l'instant même j'ai entendu la voix de ma mère :

— Trond ! Trond ! Je la vois, c'est ici ! Wärmlandsbanken, c'est ici !

Elle se manifestait un peu bruyamment à mon goût, mais
au moins elle ne s'était pas rendu compte du tournant
qu'avait failli prendre ma vie. Et je suis sorti de mon cercle.
Les flèches lumineuses se sont éteintes, et lignes et dia-
grammes se sont fondus en un liquide gris qui se répandait
dans le caniveau et s'écoulait sous une plaque d'égout. Mes
ongles avaient laissé des marques rouges sur mes paumes,
mais mon choix était fait. Si j'avais frappé ce type à Karlstad,
ma vie aurait pris une autre direction et j'aurais été un autre
homme. Prétendre, comme certains, que ça n'aurait rien
changé me paraît stupide. Ça aurait tout changé. J'ai toujours eu de la chance. Je l'ai déjà dit. Mais c'est vrai.

Je ne voulais pas pénétrer dans la banque, et je suis resté
dans la rue. Je me suis adossé à un pan de mur gris entre
deux fenêtres, j'avais l'écharpe de mon père autour du
cou et je sentais l'air d'octobre contre mon visage ; dans
mon dos je devinais la Klara et tout ce qu'elle charriait et
je percevais un vibration dans mon ventre, comme après
une longue course, quand on a déjà récupéré son souffle
depuis longtemps mais que le corps garde encore les traces
de l'effort. Telle une lampe qu'on aurait oublié d'éteindre.

Ma mère y est allée seule, la procuration de mon père à la main ; tenace et pressée d'en finir, mais gênée par la difficulté à se faire comprendre. Elle y est restée près d'une demi-heure. Dans la rue il faisait un froid de canard, et j'étais sûr que j'allais tomber malade. Quand elle est réapparue, arborant une expression confuse, presque rêveuse, le froid de la rivière avait enveloppé mon corps d'une fine pellicule qui me rendait un peu plus inaccessible, un peu plus insensible qu'avant. Je me suis redressé.

— Ça s'est mal passé ? Ils n'ont pas compris ce que tu disais, ils n'ont pas voulu te donner l'argent ? Ou peut-être qu'il n'y avait même pas de compte ?

— Si ; ça s'est très bien passé. Il y avait bel et bien un compte, et on m'a donné tout l'argent.

Puis elle a éclaté d'un rire nerveux :

— Mais il n'y avait que cent cinquante couronnes. Je ne sais pas ; tu ne trouves pas que c'est peu ? Bien sûr, je n'y connais rien, mais à ton avis, le bois, ça peut rapporter combien ?

À l'âge de quinze ans je n'étais pas expert en la matière, mais je pense que ça aurait dû rapporter dix fois plus. Franz n'avait jamais caché que le flottage ne se passerait pas comme mon père l'avait envisagé. C'était un projet désespéré ; s'il avait accepté d'y participer, c'était uniquement par amitié, et parce qu'il savait pourquoi mon père était aux abois. Bien sûr, avant notre retour au chalet, mon père et moi avions réussi à défaire un enchevêtrement sur les rapides. Mais ça n'avait pas été suffisant. La rivière avait impitoyablement mis ses freins ; les orages de juillet étaient loin, le niveau de l'eau avait beaucoup baissé, il était à son étiage et le bois avait dû s'agglutiner pour former d'énormes amoncellements qu'il faudrait dégager à la dynamite. Il s'était fiché dans les rochers près des berges ; il

244

s'était lamentablement échoué sur le fond et ne bougeait plus d'un pouce. Et moins d'un dixième des grumes était arrivé à la scierie en temps voulu. Ce qui ne devait pas représenter plus de cent cinquante couronnes suédoises.

— Je ne sais pas, ai-je dit. Je ne sais pas combien ça peut rapporter, le bois. Aucune idée.

Debout sur le trottoir devant Wärmlandsbanken, nous nous regardions; moi sans doute avec un air maussade et hostile, comme souvent face à ma mère, et elle perplexe et désemparée, mais sans amertume à ce moment-là. Elle se mordait les lèvres, et soudain elle a souri :

— Bon, ça nous aura fait une promenade, à tous les deux. Ce n'est pas tous les jours que ça nous arrive, hein ?

Puis elle a éclaté de rire :

— Et tu sais le plus drôle ?

— Parce qu'il y a quelque chose de drôle là-dedans ?

— Il va falloir qu'on dépense l'argent ici. On n'a pas le droit de le ramener en Norvège.

De nouveau, elle a ri :

— C'est à cause du contrôle des changes. J'aurais dû le savoir. J'aurais dû me tenir au courant. Il va falloir que j'apprenne à le faire, désormais.

Mais elle n'a jamais réussi à se tenir au courant. Pour ça, elle était trop rêveuse, trop souvent perdue dans ses pensées. Mais ce jour-là elle était bien éveillée. Elle a de nouveau éclaté de rire, et elle m'a pris par l'épaule :

— Viens. Je vais te montrer quelque chose que j'ai vu tout à l'heure.

Côte à côte, nous sommes redescendus vers la gare. J'avais moins froid maintenant. À force de rester immobile, j'avais les jambes raides et le corps engourdi, et ça m'a fait du bien de bouger.

Nous nous sommes arrêtés devant un magasin de vêtements.

— C'est ici.

Elle m'a poussé pour que j'entre le premier. Un homme surgi de l'arrière-boutique est venu s'incliner en demandant ce qu'il pouvait faire pour nous.

— Nous voudrions un complet pour ce jeune homme, a dit ma mère avec un sourire, en faisant bien attention à parler distinctement.

Mais en suédois, bien sûr, on ne disait pas « complet » ; on employait un autre mot que nous ne pouvions pas deviner. Elle a pourtant résolu le problème avec élégance ; pleine d'aisance soudain, elle a traversé le local d'un pas ferme en faisant claquer ses talons. Arrivée devant le portant des complets, elle en a saisi un, et elle l'a fait virevolter avant de le poser sur son bras gauche.

— Un comme celui-ci, pour celui-là, a-t-elle dit avec un mouvement de tête dans ma direction.

Et elle a raccroché le complet avec un sourire. Et l'homme s'est incliné en souriant lui aussi, et il a pris mes mesures à la ceinture et à l'entrejambe. Puis il m'a demandé quelle était ma taille de chemise, ce que j'ignorais totalement ; mais ma mère le savait. Et l'homme est allé chercher un complet bleu marine qui devrait m'aller, disait-il. Toujours aussi souriant, il m'a indiqué la cabine d'essayage au fond du magasin. J'y ai pénétré, j'ai accroché le complet à une patère et j'ai commencé à me déshabiller. Dans la cabine il y avait une grande glace et un tabouret. Il faisait si chaud dans le magasin que j'avais des fourmillements dans le ventre et dans les bras. Je me sentais légèrement ivre et un peu somnolent, et je me suis assis sur le tabouret, mes mains sur les genoux et la tête dans mes mains. Je n'avais sur moi que ma chemise bleue et mon caleçon, et je me serais sans doute endormi dans cette position si la voix de ma mère ne m'avait pas fait sursauter :

— Tout se passe bien là-dedans?

— Bien sûr, ai-je crié en me relevant.

J'ai commencé à enfiler le complet; le pantalon d'abord, puis la veste par-dessus ma chemise bleue. Il m'allait parfaitement. Je me suis regardé un moment dans la glace, puis je me suis baissé pour remettre mes chaussures. En me redressant je me suis de nouveau regardé. J'étais transformé. J'ai fermé les boutons de la veste. Je me suis longuement frotté les yeux et le visage et j'ai passé plusieurs fois les doigts dans mes cheveux; j'ai écarté ma frange et je me suis coiffé en arrière en dégageant mes oreilles. Je me suis frotté la bouche du bout des doigts, et l'afflux de sang m'a fait picoter les lèvres et la peau du visage. Je me suis donné plusieurs tapes sur la figure et je me suis de nouveau regardé dans la glace. J'ai serré les lèvres en plissant les yeux. Je me suis tourné de profil en jetant un coup d'œil par-dessus mon épaule. J'ai fait pareil en me tournant dans l'autre sens. Je n'avais plus rien de commun avec mon ancien moi. Je n'avais plus du tout l'air d'un gamin. Je me suis donné quelques coups de peigne supplémentaires avec les doigts avant de quitter la cabine, et j'aurais juré que ma mère a rougi en me voyant. Elle s'est mordu les lèvres, puis elle s'est dirigée vers l'homme qui se tenait maintenant derrière le comptoir. Elle marchait toujours d'un pas aussi décidé.

— Nous le prenons.

— Cela fera quatre-vingt-dix-huit couronnes très exactement, a-t-il dit avec un large sourire.

J'étais resté debout à l'entrée de la cabine. Je voyais le dos de ma mère penchée au-dessus de son sac à main, j'entendais le bruit de la caisse enregistreuse et la voix de l'homme disant « je vous remercie infiniment, madame ».

— Je peux le garder sur moi ? ai-je demandé.

D'un seul mouvement ils se sont tournés vers moi en opinant de la tête.

On m'a enveloppé mes vieux vêtements dans un sac en papier que j'ai serré sous mon bras. Dehors, quand nous avons repris le chemin de la gare en cherchant un restaurant où nous pourrions peut-être déjeuner, ma mère a glissé son bras sous mon bras libre. Et nous avons continué ainsi, bras dessus, bras dessous, en avançant d'un pied léger. Nous étions pratiquement de la même taille, et ce jour-là elle avait une manière de faire claquer ses talons qui retentissait entre les immeubles. Les lois de la pesanteur me paraissaient abolies, en partie du moins. Comme si on dansait, ai-je pensé, alors que je n'avais jamais dansé de ma vie.

Plus jamais nous ne devions nous promener comme ça, tous les deux. De retour à Oslo, elle a retrouvé sa lourdeur et jusqu'à la fin de sa vie elle n'a plus changé. Mais ce jour-là, à Karlstad, nous marchions bras dessus, bras dessous. Mon complet neuf était si agréable à porter ; il épousait mon corps à chacun de mes pas. Le vent qui s'engouffrait entre les immeubles était toujours aussi glacial, ma main était encore enflée et endolorie à l'endroit où j'avais enfoncé mes ongles, mais à cet instant précis tout m'a semblé parfait : mon complet était parfait et la ville était parfaite pour s'y promener, avec ses rues pavées. Et d'ailleurs, c'est à nous de décider si nous avons mal.